D0095172

АЗБУКА
БЕСТСЕЛЛЕР

Фрэнсис Скотт
Фицджеральд

ВЕЛИКИЙ ГЭТСБИ

Роман

Санкт-Петербург
2013

УДК 821.111(73)
ББК 84(7Сое)-44
Ф 66

Перевод с английского Евгении Калашниковой

Оформление серии Вадима Пожидаева

ISBN 978-5-389-05861-3

Глава I

В юношеские годы, когда человек особенно восприимчив, я как-то получил от отца совет, надолго запавший мне в память.

— Если тебе вдруг захочется осудить кого-то, — сказал он, — вспомни, что не все люди на свете обладают теми преимуществами, которыми обладал ты.

К этому он ничего не добавил, но мы с ним всегда прекрасно понимали друг друга без лишних слов, и мне было ясно, что думал он гораздо больше, чем сказал. Вот откуда взялась у меня привычка к сдержанности в суждениях — привычка, которая часто служила мне ключом к самым сложным натурам и еще чаще делала меня жертвой матерых надоед. Нездоровый ум всегда сразу чует эту сдержанность, если она проявляется в обыкновенном, нормальном человеке, и спешит за нее уцепиться; еще в колледже меня незаслуженно обвиняли в политиканстве, потому что самые нелюдимые и замкнутые студенты поверяли мне свои тайные горести. Я вовсе не искал подобного доверия — сколько раз, заметив некоторые симптомы, предвещающие очередное интимное признание, я принимался сонно зевать, спешил уткнуться в книгу или напускал на себя задорно-легкомысленный тон; ведь интимные признания молодых людей, по крайней мере, та словесная форма, в которую они облечены, представляют собой, как правило, плагиат и к тому же страдают явными недомолвками. Сдержанность в суждениях — залог неиссякаемой надежды. Я до сих пор опасаюсь упустить что-то, если позабуду, что (как не без снобизма говорил мой отец и не без снобизма повторяю за ним я) чутье к основным нравственным ценностям отпущено природой не всем в одинаковой мере.

А теперь, похвалившись своей терпимостью, я должен сознаться, что эта терпимость имеет пределы. Поведение человека может иметь под собой разную почву — твердый гранит или вязкую трясину; но в какой-то момент мне становится наплевать, какая там под ним почва. Когда я прошлой осенью вернулся из Нью-Йорка, мне хотелось, чтобы весь мир был морально затянут в мундир и держался по стойке «смирно». Я больше не стремился к увлекательным вылазкам с привилегией заглядывать в человеческие души. Только для Гэтсби, человека, чьим именем названа эта книга, я делал исключение, — Гэтсби, казалось воплощавшего собой все, что я искренне презирал и презираю. Если мерить личность ее умением себя проявлять, то в этом человеке было поистине нечто великолепное, какая-то повышенная чувствительность ко всем посулам жизни, словно он был часть одного из тех сложных приборов, которые регистрируют подземные толчки где-то за десятки тысяч миль. Эта способность к мгновенному отклику не имела ничего общего с дряблой впечатлительностью, пышно именуемой «артистическим темпераментом», — это был редкостный дар надежды, романтический запал, какого я ни в ком больше не встречал и, наверно, не встречу. Нет, Гэтсби себя оправдал под конец; не он, а то, что над ним тяготело, та ядовитая пыль, что вздымалась вокруг его мечты, — вот что заставило меня на время утратить всякий интерес к людским скоротечным печалям и радостям впопыхах.

Я принадлежу к почтенному зажиточному семейству, вот уже в третьем поколении играющему видную роль в жизни нашего средне-западного городка. Каррауэи — это целый клан, и, по семейному преданию, он ведет свою родословную от герцогов Бэклу, но родоначальником нашей ветви нужно считать брата моего дедушки, того, что приехал сюда в 1851 году, послал за себя наемника в Федеральную армию и открыл собственное дело по оптовой торговле скобяным товаром, которое ныне возглавляет мой отец.

Я никогда не видал этого своего предка, но считается, что я на него похож, чему будто бы служит доказательством довольно мрачный портрет, висящий у отца в конторе. Я окончил Йельский университет в 1915 году, ровно через четверть века после моего отца, а немного спустя я принял участие в Великой мировой войне — название, которое принято давать запоздалой миграции тевтонских племен. Контрнаступление настолько меня увлекло, что, вернувшись домой, я никак не мог найти себе покоя. Средний Запад казался мне теперь не кипучим центром мироздания, а скорее обтрепанным подолом вселенной; и в конце концов я решил уехать на Восток и заняться изучением кредитного дела. Все мои знакомые служили по кредитной части; так неужели там не найдется места еще для одного человека? Был созван весь семейный синклит, словно речь шла о выборе для меня подходящего учебного заведения; тетушки и дядюшки долго совещались, озабоченно хмуря лбы, и наконец нерешительно выговорили: «Ну что-о ж...» Отец согласился в течение одного года оказывать мне финансовую поддержку, и вот, после долгих проволочек, весной 1922 года я приехал в Нью-Йорк, как мне в ту пору думалось — навсегда.

Благоразумней было бы найти квартиру в самом Нью-Йорке, но дело шло к лету, а я еще не успел отвыкнуть от широких зеленых газонов и ласковой тени деревьев, и потому, когда один молодой сослуживец предложил поселиться вместе с ним где-нибудь в пригороде, мне эта идея очень понравилась. Он подыскал и дом — крытую толем хибарку за восемьдесят долларов в месяц, но в последнюю минуту фирма откомандировала его в Вашингтон, и мне пришлось устраиваться самому. Я завел собаку, — правда, она сбежала через несколько дней, — купил старенький «додж» и нанял пожилую финку, которая по утрам убирала мою постель и готовила завтрак на электрической плите, бормоча себе под нос какие-то финские премудрости. Поначалу я чувствовал себя одиноким, но на третье или четвертое утро меня остановил близ вокзала какой-то человек, видимо только что сошедший с поезда.

— Не скажете ли, как попасть в Уэст-Эгг? — растерянно спросил он.

Я объяснил. И когда я зашагал дальше, чувства одиночества как не бывало. Я был старожилом, первопоселенцем, указывателем дорог. Эта встреча освободила меня от невольной скованности пришельца.

Солнце с каждым днем пригревало сильней, почки распускались прямо на глазах, как в кино при замедленной съемке, и во мне уже крепла знакомая, приходившая каждое лето уверенность, что жизнь начинается сызнова.

Так много можно было прочесть книг, так много впитать животворных сил из напоенного свежестью воздуха. Я накупил учебников по экономике капиталовложений, по банковскому и кредитному делу, и, выстроившись на книжной полке, отливая червонным золотом, точно монеты новой чеканки, они сулили раскрыть передо мной сверкающие тайны, известные лишь Мидасу, Моргану и Меценату. Но я не намерен был ограничить себя чтением только этих книг. В колледже у меня обнаружились литературные склонности — я как-то написал серию весьма глубокомысленных и убедительных передовиц для «Йельского вестника», — и теперь я намерен был снова взяться за перо и снова стать самым узким из всех узких специалистов — так называемым человеком широкого кругозора. Это не парадокс парадокса ради; ведь, в конце концов, жизнь видишь лучше всего, когда наблюдаешь ее из единственного окна.

Случаю угодно было сделать меня обитателем одного из самых своеобразных местечек Северной Америки. На длинном, прихотливой формы острове, протянувшемся к востоку от Нью-Йорка, есть среди прочих капризов природы два необычных с точки зрения рельефа образования. Милях в двадцати от города, на задворках пролива Лонг-Айленд, самого обжитого куска водного пространства во всем Западном полушарии, вдаются в воду два совершенно одинаковых мыса, разделенных лишь неширокой бухточкой. Каждый из них представляет собой почти правильный овал — только, подобно Колумбову яйцу, сплюснутый у основания; при этом они настолько повторяют друг друга очертаниями и размерами, что, вероятно, чайки, летая над ними, не перестают удивляться этому необыкновенному сходству. Что до бескрылых живых существ, то они могут наблюдать феномен еще более удивительный — полное различие во всем, кроме очертаний и размеров.

Я поселился в Уэст-Эгге, менее, — ну, скажем так: менее фешенебельном из двух поселков, хотя этот словесный ярлык далеко не выражает причудливого и даже несколько зловещего контраста, о котором идет речь. Мой домик стоял у самой оконечности мыса, в полусотне ярдов от берега, затиснутый между двумя роскошными виллами, из тех, за которые платят по двенадцать—пятнадцать тысяч в сезон. Особенно великолепна была вилла справа — точная копия какого-нибудь Hótel de Ville[1] в Нормандии, с угловой башней, где новенькая кладка просвечивала сквозь редкую еще завесу плюща, с мраморным бассейном для плаванья и садом в сорок с лишним акров земли. Я знал, что это усадьба Гэтсби. Точней, что она принадлежит кому-то по фамилии Гэтсби, так как больше я о нем ничего не знал. Мой домик был тут бельмом на глазу, но бельмом таким крошечным, что его и не замечал

[1] Ратуша *(фр.)*.

никто, и потому я имел возможность, помимо вида на море, наслаждаться еще видом на кусочек чужого сада и приятным сознанием непосредственного соседства миллионеров — всё за восемьдесят долларов в месяц.

На другой стороне бухты сверкали над водой белые дворцы фешенебельного Ист-Эгга, и, в сущности говоря, история этого лета начинается с того вечера, когда я сел в свой «додж» и поехал на ту сторону, к Бьюкененам в гости. Дэзи Бьюкенен приходилась мне троюродной сестрой, а Тома я знал еще по университету. И как-то, вскоре после войны, я два дня прогостил у них в Чикаго.

Том, наделенный множеством физических совершенств — нью-хейвенские любители футбола не запомнят другого такого левого крайнего, — был фигурой, в своем роде характерной для Америки, одним из тех молодых людей, которые к двадцати одному году достигают в чем-то самых вершин, и потом, что бы они ни делали, все кажется спадом. Родители его были баснословно богаты — уже в университете его манера сорить деньгами вызывала нарекания, — и теперь, вздумав перебраться из Чикаго на Восток, он сделал это с размахом поистине ошеломительным: привез, например, из Лейк-Форест целую конюшню пони для игры в поло. Трудно было представить себе, что у человека моего поколения может быть достаточно денег для подобных прихотей.

Не знаю, что побудило их переселиться на Восток. Они прожили год во Франции, тоже без особых к тому причин, потом долго скитались по разным углам Европы, куда съезжаются богачи, чтобы вместе играть в поло и наслаждаться своим богатством. Теперь они решили прочно осесть на одном месте, сказала мне Дэзи по телефону. Я, впрочем, не слишком этому верил. Я не мог заглянуть в душу Дэзи, но Том, казалось мне, будет всю жизнь носиться с места на место в чуть тоскливой погоне за безвозвратно утраченной остротой ощущений футболиста.

Вот как вышло, что теплым, но ветреным вечером я ехал в Ист-Эгг навестить двух старых друзей, которых, в сущности, почти не знал. Их резиденция оказалась еще изысканней, чем я рисовал себе. Веселый красный с белым дом в георгианско-колониальном стиле смотрел фасадом в сторону пролива. Зеленый газон начинался почти у самой воды, добрую четверть мили бежал к дому между клумб и дорожек, усыпанных кирпичной крошкой, и наконец, перепрыгнув через солнечные часы, словно бы с разбегу взлетал по стене вьющимися виноградными лозами. Ряд высоких двустворчатых окон прорезал фасад по всей длине; сейчас они были распахнуты навстречу теплому вечернему ветру, и стекла пламенели отблесками золота, а в дверях, широко расставив ноги, стоял Том Бьюкенен в костюме для верховой езды.

Он изменился с нью-хейвенских времен. Теперь это был плечистый тридцатилетний блондин с твердо очерченным ртом и довольно надменными манерами. Но в лице главным были глаза: от их блестящего дерзкого взгляда всегда казалось, будто он с угрозой подается вперед. Даже немного женственная элегантность его костюма для верховой езды не могла скрыть его физическую мощь; казалось, могучим икрам тесно в глянцевитых крагах, так что шнуровка вот-вот лопнет, а при малейшем движении плеча видно было, как под тонким сукном ходит плотный ком мускулов. Это было тело, полное сокрушительной силы, — жестокое тело.

Он говорил резким, хрипловатым тенором, очень подходившим к тому впечатлению, которое он производил, — человека с норовом. И даже в разговоре с приятными ему людьми в голосе у него всегда слышалась нотка презрительной отеческой снисходительности, — в Нью-Хейвене многие его за это терпеть не могли. Казалось, он говорил: «Я, конечно, сильнее вас, и вообще я не вам чета, но все же можете не считать мое мнение непререкаемым». На старших курсах мы с ним состояли в одном студенческом обществе, и, хотя дружбы между нами никогда не было, мне всегда казалось, что я ему нравлюсь и что он по-своему, беспокойно, с вызовом, старается понравиться мне.

Мы немного постояли на освещенном вечерним солнцем крыльце.

— Недурное у меня тут пристанище, — сказал он, посверкивая глазами по сторонам.

Слегка нажимая на мое плечо, чтобы заставить меня повернуться, он широким движением руки обвел открывающуюся с крыльца панораму, включая в нее итальянский, уступами расположенный сад, пол-акра пряно благоухающих роз и тупоносую моторную яхту, покачивающуюся в полосе прибоя.

— Я купил эту усадьбу у Демэйна, нефтяника. — Он снова нажал на мое плечо, вежливо, но круто поворачивая меня к двери. — Ну, пойдем.

Мы прошли через просторный холл и вступили в сияющее розовое пространство, едва закрепленное в стенах дома высокими окнами справа и слева. Окна были распахнуты и сверкали белизной на фоне зелени, как будто враставшей в дом. Легкий ветерок гулял по комнате, трепля занавеси на окнах, развевавшиеся, точно бледные флаги, — то вдувал их внутрь, то выдувал наружу, то вдруг вскидывал вверх, к потолку, похожему на свадебный пирог, облитый глазурью, а по винно-красному ковру рябью бежала тень, как по морской глади под бризом.

Единственным неподвижным предметом в комнате была исполинская тахта, на которой, как на привязанном к якорю аэростате, укрылись две молодые женщины. Их белые платья подрагивали и колыхались, как будто они обе только что опустились здесь после полета по дому. Я, наверно, несколько мгновений простоял, слушая, как полощутся и хлопают занавеси и поскрипывает картина на стене. Потом что-то стукнуло — Том Бьюкенен затворил окна с одной стороны, — и попавший-ся в западню ветер бессильно замер, а занавеси, и ковер, и обе молодые женщины на тахте постепенно опали и застыли в неподвижности.

Младшая из двух женщин была мне незнакома. Она растянулась во весь рост на своем конце тахты и лежала не шевелясь, чуть закинув голову, как будто на подбородке у нее стоял какой-то предмет, который она с большим трудом удерживала в равновесии. Может быть, она и заметила меня краешком глаза, но виду не подала; и от растерянности я чуть было не забормотал извинения, что помешал ей своим приходом.

Другая — это была Дэзи — сделала попытку встать; слегка подалась вперед с озабоченным выражением; но тут же засмеялась звенящим, обворожительно нелепым смехом, и я тоже засмеялся и шагнул к дивану.

— На м-меня от радости столбняк нашел.

Она опять засмеялась, словно сказала что-то в высшей степени остроумное, и на миг удержала мою руку, заглядывая мне в глаза с таким видом, будто у нее никогда не было более горячего желания, чем меня увидеть. Она умела так смотреть. Потом она шепотком назвала мне фамилию эквилибристки на другом конце дивана: Бейкер. (Злые языки утверждали, что шепоток Дэзи — уловка, цель которой заставить собеседника наклониться к ней поближе; бессмысленный навет, ничуть не лишающий эту манеру прелести.)

Так или иначе, губы мисс Бейкер дрогнули, она едва заметно кивнула мне головой и тотчас же опять откинула ее назад, — должно быть, предмет, стоявший у нее на подбородке, качнулся, и она испугалась, что он упадет. Мне снова неудержимо захотелось извиниться. Апломб и независимость, в чем бы они ни проявлялись, всегда действуют на меня ошеломляюще.

Моя кузина стала задавать мне вопросы своим низким, волнующим голосом. Слушая такой голос, ловишь интонацию каждой фразы, как будто это музыка, которая больше никогда не прозвучит. Лицо Дэзи, миловидное и грустное, оживляли только яркие глаза и яркий чувственный рот, но в голосе было многое, чего не могли потом забыть любившие ее мужчины, — певучая властность, негромкий призыв «услышь», отзвук веселья и радостей, только что миновавших, и веселья и радостей, ожидающих впереди.

Я рассказал, что по дороге в Нью-Йорк останавливался на день в Чикаго, и передал ей привет от десятка друзей.

— Так обо мне там скучают? — ликуя, воскликнула она.

— Весь город безутешен. У всех машин левое заднее колесо выкрашено черной краской в знак траура, а берега озера всю ночь оглашаются плачем и стенаниями.

— Какая прелесть! Давай вернемся, Том. Завтра же! — И без всякого перехода она добавила: — Посмотрел бы ты на нашу малышку!

— Я бы очень хотел на нее посмотреть.

— Она уже спит. Ей ведь три года. Ты ее никогда не видел?

— Никогда.

— Ну, если бы ты только на нее посмотрел... Она...

Том Бьюкенен, беспокойно бродивший из угла в угол, остановился и положил мне руку на плечо.

— Чем теперь занимаешься, Ник?

— Кредитными операциями.

— У кого?

Я назвал.

— Никогда не слыхал, — высокомерно уронил он.

Меня задело.

— Услышишь, — коротко возразил я. — Непременно услышишь, если думаешь обосноваться на Востоке.

— О, насчет этого можешь быть спокоен, — сказал он, глянул на Дэзи и тотчас же снова перевел глаза на меня, будто готовясь к отпору. — Не такой я дурак, чтобы отсюда уехать.

Тут мисс Бейкер сказала: «Факт!» — и я даже вздрогнул от неожиданности: это было первое слово, которое она произнесла за все время. По-видимому, ее самое это удивило не меньше, чем меня; она зевнула и в два-три быстрых, ловких движения оказалась на ногах.

— Я вся как деревяшка, — пожаловалась она. — Невозможно столько времени валяться на диване.

— Пожалуйста, не смотри на меня, — отрезала Дэзи. — Я с самого утра пытаюсь вытащить тебя в Нью-Йорк.

— Спасибо, нет, — сказала мисс Бейкер четырем бокалам с коктейлями, только что появившимся на столе. — Никогда не пью накануне.

Хозяин дома с недоверием посмотрел на нее.

— Уж будто! — Он залпом осушил свой бокал, словно там только и было что на донышке. — Как тебе что-то удается, для меня загадка.

Я посмотрел на мисс Бейкер, стараясь угадать, что такое ей «удается». Смотреть на нее было приятно. Она была стройная, с маленькой грудью, с очень прямой спиной, что еще подчеркивала ее манера держаться — плечи назад, точно у мальчишки-кадета. Ее серые глаза с ответным любопытством щурились на меня с хорошенького, бледного, капризного личика. Мне вдруг показалось, что я уже видел ее где-то, может быть на фотографии.

— Вы живете в Уэст-Эгге? — протянула она несколько свысока. — У меня там есть знакомые.

— А я там никого не...

— Не может быть, чтоб вы не знали Гэтсби.

— Гэтсби? — спросила Дэзи. — Какой это Гэтсби?

Я хотел было сказать, что это мой ближайший сосед, но тут доложили, что кушать подано, и Том Бьюкенен, властно прижав мускулистой рукой мой локоть, вывел меня из комнаты, точно шахматную фигуру переставил с клетки на клетку.

Томно, неторопливо, слегка придерживая платья на бедрах, обе молодые женщины шли впереди нас к столу, накрытому на розовой веранде, обращенной к закату. Четыре свечи горели на столе, затихающий ветер колебал их пламя.

— Это еще зачем? — нахмурилась Дэзи и пальцами погасила все свечи. — Через две недели будет самый долгий день в году. — Она обвела нас сияющим взглядом. — Случалось вам когда-нибудь ждать этого самого долгого дня — и потом спохватиться, что он уже миновал? Со мной это каждый год случается.

— Давайте придумаем что-нибудь, — зевнула мисс Бейкер, усаживаясь за стол с таким видом, словно она укладывалась в постель.

— Давайте, — сказала Дэзи. — Только что? — Она беспомощно оглянулась на меня. — Что вообще можно придумать?

Не дожидаясь ответа, она вдруг с ужасом уставилась на свой мизинец.

— Смотрите! — воскликнула она. — Я ушибла палец.

Мы все посмотрели — сустав посинел и распух.

— Это ты виноват, Том, — сказала она обиженно. — Я знаю, ты не нарочно, но все-таки это ты. Так мне и надо: зачем выходила замуж за такую громадину, такого здоровенного, неуклюжего дылду?

— Терпеть не могу это слово, — сердито перебил ее Том. — Не желаю, чтобы меня даже в шутку называли дылдой.

— Дылда! — упрямо повторила Дэзи.

Иногда она и мисс Бейкер вдруг принимались говорить разом, но в их насмешливой, бессодержательной болтовне не было легкости, она была холодной, как их белые платья, как их равнодушные глаза, не озаренные и проблеском желания. Они сидели за столом и терпели наше общество, мое и Тома, лишь из светской любезности, стараясь нас занимать или помогая нам занимать их. Они знали: скоро обед кончится, а там кончится и вечер, и можно будет небрежно смахнуть его в прошлое. Все это было совсем не так, как у нас на Западе, где всегда с волнением торопишь вечер, час за часом подгоняя его к концу, которого и ждешь, и боишься.

— Дэзи, рядом с тобой я перестаю чувствовать себя цивилизованным человеком, — пожаловался я после второго бокала легкого, но далеко не безобидного красного вина. — Давай заведем какой-нибудь доступный мне разговор, ну хоть о видах на урожай.

Я сказал это не думая, просто так, но мои слова произвели неожиданный эффект.

— Цивилизация катится в пропасть! — со злостью выкрикнул Том. — Я теперь стал самым мрачным пессимистом. Читал ты книгу Годдарда «Цветные империи на подъеме»?

— Нет, не приходилось, — ответил я, удивленный его тоном.

— Великолепная книга, ее каждый должен прочесть. Там проводится такая идея: если мы не будем настороже, белая раса... Ну, словом, ее поглотят цветные. Это не пустяки, там все научно доказано.

— Том у нас становится мыслителем, — сказала Дэзи с неподдельной грустью. — Он читает разные умные книги с такими длинющими словами. Том, какое это было слово, что мы никак...

— Не просто книги, а научные труды, — возразил раздраженно Том. — Этот Годдард развивает свою мысль до конца. От нас, от главенствующей расы, зависит не допустить, чтобы другие расы взяли верх.

— Мы должны сокрушить их, — шепнула Дэзи, свирепо подмигивая в сторону солнца, пламеневшего над горизонтом.

— Вот если б вы жили в Калифорнии... — начала мисс Бейкер, но Том прервал ее, шумно задвигавшись на своем стуле:

— Суть в том, что мы — представители нордической расы. Я, и ты, и ты, и... — После мгновенного колебания он кивком головы включил и Дэзи, и она тотчас же снова подмигнула мне. — И все то, что составляет цивилизацию, создано нами — наука там, и искусство, и все прочее. Понятно?

Было что-то патетическое в его настойчивости, как будто ему уже мало было упоения собственной личностью, с годами еще возросшего. Где-то в доме зазвонил телефон, лакей пошел ответить на звонок, и Дэзи, воспользовавшись минутным отвлечением, наклонилась ко мне.

— Я тебе открою фамильную тайну, — оживленно зашептала она. — Про нос нашего лакея. Хочешь узнать тайну про нос нашего лакея?

— Я только затем и приехал.

— Ну, слушай: раньше он был не просто лакеем, он служил в одном доме в Нью-Йорке, где имелось столового серебра на двести персон, — так вот, он заведовал этим серебром. С утра до вечера он его чистил и чистил, и в конце концов у него от этого сделался насморк...

— Дальше — хуже, — подсказала мисс Бейкер.

— Верно. Дальше — хуже, и дошло до того, что ему пришлось отказаться от места.

Заходящее солнце прощальной лаской коснулось порозовевшего лица Дэзи; я прислушивался к ее шепоту, невольно сдерживая дыхание и вытянув шею, — но вот розовое сияние померкло, соскользнуло с ее лица, медленно, неохотно, как ребенок, которого наступивший вечер заставляет расстаться с весельем улицы и идти домой.

Вернувшийся лакей сказал что-то почти на ухо Тому. Том нахмурился, отодвинул свой стул и, не произнеся ни слова, пошел в комнаты. У Дэзи словно что-то быстрее завертелось внутри, она снова наклонилась ко мне и сказала напевным, льющимся голосом:

— Ах, Ник, если б ты знал, как мне приятно видеть тебя за этим столом. Ты похож на... на розу. Ведь правда? — обратилась она к мисс Бейкер за подтверждением. — Он настоящая роза.

Это был чистый вздор. Во мне нет ничего, даже отдаленно напоминающего розу. Она сболтнула первое, что пришло в голову, но от нее веяло лихорадочным теплом, как будто душа ее рвалась наружу под прикрытием этих неожиданных, огорошивающих слов. И вдруг она бросила салфетку на стол, попросила извинить ее и тоже ушла в комнаты.

Мы с мисс Бейкер обменялись короткими, ничего не выражающими взглядами. Я было хотел заговорить, но она вся подобралась на стуле и предостерегающе цыкнула в мою сторону. Из-за двери доносился чей-то взволнованный голос, и мисс Бейкер, вытянув шею, совершенно беззастенчиво вслушивалась. Голос задрожал где-то на грани внятности, упал почти до шепота, запальчиво вскинулся и совсем затих.

— Этот мистер Гэтсби, о котором вы упоминали, он мой сосед, — начал я.

— Молчите. Я хочу слышать, что там происходит.

— А там что-то происходит? — простодушно спросил я.

— Вы что же, ничего не знаете? — искренне удивилась мисс Бейкер. — Я была уверена, что все знают.

— Я не знаю.

— Ну, в общем... — Она замялась. — У Тома есть какая-то особа в Нью-Йорке.

— Какая-то особа? — растерянно повторил я.

Мисс Бейкер кивнула.

— Могла бы, между прочим, иметь каплю совести и не звонить ему домой в обеденное время. Верно?

Пока я силился уразуметь смысл услышанного, в дверях зашелестело платье, скрипнули кожаные подошвы — и хозяева дома вернулись к столу.

— Неотложное дело! — нарочито весело воскликнула Дэзи.

Она уселась на свое место, метнула испытующий взгляд на мисс Бейкер, потом на меня и продолжала как ни в чем не бывало:

— Я на минутку выглянула в сад, там сейчас все так романтично. В кустах поет птица; по-моему, это соловей — он, наверно, прибыл с последним трансатлантическим рейсом. И так поет, так поет... — Она и сама почти пела, не говорила. — Ну разве не романтично, Том, скажи?

— Да, сплошная романтика, — сказал он и, словно ища спасенья, повернулся ко мне: — После обеда, если еще не совсем стемнеет, поведу тебя посмотреть лошадей.

Опять затрещал телефонный звонок; Дэзи, глядя на Тома, решительно покачала головой, и разговор о лошадях, да и весь вообще разговор, повис в воздухе. Среди осколков последних пяти минут, проведенных за столом, мне запомнились огоньки свечей — их почему-то опять зажгли — и мучившее меня желание в упор смотреть на всех остальных, но так, чтобы ни с кем не встретиться взглядом. Не знаю, о чем думали в это время Дэзи и Том, но даже мисс Бейкер с ее очевидной скептической закалкой едва ли удавалось не замечать трескучей стальной навязчивости этого пятого среди нас. Кому-нибудь другому вся ситуация могла показаться заманчиво пикантной — но у меня было такое чувство, что необходимо срочно вызвать полицию.

Понятно, само собой, что о лошадях больше и речи не было. Том и мисс Бейкер вернулись в библиотеку, словно бы для сумеречного бдения над невидимым, но вполне материальным покойником, а я, притворяясь светски оживленным и слегка тугим на ухо, шел вместе с Дэзи цепью сообщающихся балконов вокруг дома, пока эта прогулка не привела нас к центральной веранде, где было уже совсем темно. Там мы и уселись рядом на плетеном диванчике.

Дэзи прижала обе ладони к лицу, словно проверяя на ощупь его точеный овал, а глазами все пристальней, все напряженней впивалась в бархатистый полумрак. Я видел ее волнение, с которым она не в силах была совладать, и попытался отвлечь ее расспросами о дочке.

— Мы с тобой хоть и родственники, а мало знаем друг друга, Ник, — неожиданно сказала она. — Ты даже на свадьбе у меня не был.

— Я тогда еще не вернулся с войны.

— Да, верно. — Она помолчала. — Знаешь, Ник, мне очень много пришлось пережить, и я теперь как-то ни во что не верю.

Судя по всему, у нее для этого были основания. Я немного подождал, но продолжения не последовало, и тогда я довольно беспомощно ухватился опять за спасительную тему о дочке.

— Она, должно быть, уже разговаривает, и... и ест, и все такое.

— Ну конечно. — Она рассеянно взглянула на меня. — А хочешь знать, что я сказала, когда она родилась, Ник? Интересно тебе?

— Очень интересно.

— Это тебе поможет понять... многое. Еще и часу не прошло, как она появилась на свет, — а где был Том, бог его знает. Я очнулась после наркоза, чувствуя себя всеми брошенной и забытой, и сразу же спросила акушерку: «Мальчик или девочка?» И когда услышала, что девочка, отвернулась и заплакала. А потом говорю: «Ну и пусть. Очень рада, что девочка. Дай только бог, чтобы она выросла дурой, потому что в нашей жизни для женщины самое лучшее быть хорошенькой дурочкой». Я, видишь ли, думаю, что все равно на свете ничего хорошего нет, — продолжала она убежденно. — И все так думают — даже самые умные, самые передовые люди. А я не только думаю, *я знаю*. Ведь я везде побывала, все видела, все попробовала. — Она вызывающе сверкнула глазами, совсем как Том, и рассмеялась звенящим, презрительным смехом. — Многоопытная и разочарованная, вот я какая.

Но как только отзвучал ее голос, принуждавший меня слушать и верить, я сейчас же почувствовал неправду в ее словах. Мне стало не по себе, как будто весь этот вечер был рассчитан на то, чтобы через обман и хитрость заставить меня волноваться чужим волнением. Прошла минута, и в самом деле — на прелестном лице Дэзи появилась самодовольная улыбка, словно ей удалось доказать свое право на принадлежность к привилегированному тайному обществу, к которому принадлежал и Том.

Алая комната цвела под зажженной лампой. Том сидел на одном конце длинной тахты, а мисс Бейкер, сидя на другом, читала ему вслух «Сатердей ивнинг пост» — в ее чтении все слова сливались в ровную убаюкивающую мелодию. Свет играл яркими бликами на ботинках Тома, тусклым золотом переливался в волосах мисс Бейкер, напоминавших цветом осеннюю листву, скользил по страницам, перевертываемым упругим движением сильных, мускулистых пальцев.

Увидя нас, мисс Бейкер предостерегающе подняла руку.

— «Продолжение в следующем номере», — дочитала она и отбросила журнал. Потом, дернув коленкой, самоуверенно выпрямилась и встала с тахты. — Десять часов, — объявила она, поглядев, чтобы узнать это, на потолок. — Девочке-паиньке пора в постельку.

— У Джордан завтра состязания в Уэстчестере, — пояснила Дэзи. — Ей нужно ехать туда с самого утра.

— Ах, так вы — Джордан Бейкер!

Теперь я понял, почему мне знакомо ее лицо, — эта капризная гримаска достаточно часто мелькала на фотографиях, иллюстрирующих спортивную хронику Ашвилла, Хот-Спрингса и Палм-Бич. Я даже слышал о ней какую-то сплетню, довольно злую и неприглядную сплетню, но подробности давно вылетели у меня из головы.

— Спокойной ночи, — проворковала она. — И пожалуйста, разбудите меня в восемь часов.

— Ведь все равно не встанешь.

— Встану. Спокойной ночи, мистер Каррауэй. Мы еще увидимся.

— Конечно увидитесь, — подтвердила Дэзи. — Я даже думаю, не сосватать ли вас. Приезжай почаще, Ник, я буду — как это говорится? — содействовать вашему сближению. Ну, знаешь, — то нечаянно запру вас вдвоем в чулане, то отправлю на лодке в открытое море, то еще что-нибудь.

— Спокойной ночи! — крикнула уже с лестницы мисс Бейкер. — Я ничего не слыхала.

— Джордан славная девушка, — сказал Том немного погодя. — Напрасно только ей разрешают вести такую бродячую жизнь.

— А кто это может разрешить ей или не разрешить? — холодно спросила Дэзи.

— Ну как кто — ее родные.

— Ее родные — это тетка, которой сто лет. Но теперь Ник приглядит за ней, правда, Ник? Она будет приезжать к нам каждую субботу. Я считаю, что атмосфера семейного дома должна оказать на нее благотворное влияние.

Дэзи и Том молча посмотрели друг на друга.

— Она из Нью-Йорка? — поспешно спросил я.

— Из Луисвилла. Подруга моей юности. Моей счастливой, безмятежной юности.

— Ты что, вела с Ником на веранде задушевные разговоры? — спросил вдруг Том.

— Задушевные разговоры? — Она оглянулась на меня. — Не помню, но, кажется, мы беседовали о нордической расе. Да-да, именно об этом. Разговор возник как-то сам собой, мы даже не заметили.

— Ты смотри, Ник, не верь всякой чепухе, — предостерег меня Том.

Я беспечно сказал, что никакой чепухи я не слышал, и немного погодя стал прощаться. Они вышли меня проводить и, стоя рядышком в веселом прямоугольнике света, смотрели, как я усаживаюсь в машину. Я уже включил мотор, как вдруг Дэзи повелительно закричала: «Стой!»

— Я забыла спросить одну важную вещь. Мы слышали, что у тебя там, дома, есть невеста.

— Да, да, — с готовностью подхватил Том. — Мы слышали, что у тебя есть невеста.

— Клевета. Я слишком беден, чтобы жениться.

— А мы слышали, — настаивала Дэзи; к моему удивлению, она опять словно вся расцвела. — Мы слышали от трех разных людей, значит, это правда.

Я отлично знал, о чем идет речь, но дело в том, что у меня в самом деле не было никакой невесты. Дурацкие слухи о моей помолвке и были одной из причин, почему я решил уехать на Восток. Нельзя раззнакомиться со старой приятельницей из-за чьих-то досужих языков, но, с другой стороны, мне вовсе не хотелось, чтобы эти досужие языки довели меня до брачного обряда.

Я был тронут радушным приемом Дэзи и Тома, даже их богатство теперь как будто меньше отдаляло их от меня, — но все же по дороге домой я не мог отделаться от какого-то неприятного осадка. Мне казалось, что Дэзи остается одно: схватить ребенка на руки и без оглядки бежать из этого дома, — но у нее, видно, и в мыслях ничего подобного не было. Что же касается Тома, то меня не так поразило известие о «какой-то особе в Нью-Йорке», как то, что его душевное равновесие могло быть нарушено книгой. Что-то побуждало его вгрызаться в корку черствых идей, как будто несокрушимое плотское самодовольство больше не насыщало эту властную душу.

Уже совсем по-летнему разогрелись за день крыши придорожных закусочных и асфальт перед гаражами, где в лужицах света торчали новенькие красные бензоколонки. Вернувшись к себе в Уэст-Эгг, я поставил машину под навес и присел на заржавленную газонокосилку, валявшуюся за домом. Ветер утих, ночь сияла, полная звуков, — хлопали птичьи крылья в листве деревьев, органно гудели лягушки от избытка жизни, раздуваемой мощными мехами земли. Мимо черным силуэтом в голубизне прокралась кошка, я повернул голову ей вслед и вдруг увидел, что я не один — шагах в пятидесяти, отделившись от густой тени соседского дома, стоял человек и, заложив руки в карманы, смотрел на серебряные перчинки звезд. Непринужденное спокойствие его позы, уверенность, с которой его ноги приминали траву на газоне, подсказали мне, что это сам мистер Гэтсби вышел прикинуть, какая часть нашего уэст-эггского неба по праву причитается ему. Я решил окликнуть его. Сказать, что слышал о нем сегодня за обедом от мисс Бейкер, это послужит мне рекомендацией. Но я так его и не окликнул, потому что он вдруг ясно показал, насколько неуместно было бы нарушить его одиночество: он как-то странно протянул руку к темной воде, и, несмотря на расстояние между нами, мне показалось, что он весь дрожит. Невольно я посмотрел по направлению его взгляда, но ничего не увидел; только где-то далеко светился зеленый огонек, должно быть сигнальный фонарь на краю причала. Я оглянулся, но Гэтсби уже исчез, и я снова был один в неспокойной темноте.

Глава II

Почти на полпути между Уэст-Эггом и Нью-Йорком шоссе подбегает к железной дороге и с четверть мили бежит с нею рядом, словно хочет обогнуть стороной угрюмый пустырь. Это настоящая Долина Шлака — призрачная нива, на которой шлак всходит, как пшеница, громоздится холмами, сопками, раскидывается причудливыми садами; перед вами возникают шлаковые дома, трубы, дым, поднимающийся к небу, и, наконец, если очень напряженно вглядеться, можно увидеть шлаково-серых человечков, которые словно расплываются в пыльном тумане. А то вдруг по невидимым рельсам выползет вереница серых вагонеток и с чудовищным лязгом остановится, и сейчас же шлаковые человечки закопошатся вокруг с лопатами и поднимут такую густую тучу пыли, что за ней уже не разглядеть, каким они там заняты таинственным делом.

Но проходит минута-другая, и над этой безотрадной землей, над стелющимися над ней клубами серой пыли вы различаете глаза доктора Т. Дж. Эклберга. Глаза доктора Эклберга голубые и огромные — их радужная оболочка имеет метр в ширину. Они смотрят на вас не с человеческого лица, а просто сквозь гигантские очки в желтой оправе, сидящие на несуществующем носу. Должно быть, какой-то фантазер-окулист из Квинса установил их тут в надежде на расширение практики, а потом сам отошел в край вечной слепоты или переехал куда-нибудь, позабыв свою выдумку. Но глаза остались, и, хотя краска немного слиняла от дождя и солнца и давно уже не подновлялась, они и сейчас все так же грустно созерцают мрачную свалку.

С одной стороны Долина Шлака упирается в сильно загаженную речонку, и, когда мост на ней разведен для пропуска барж, пассажирам местного поезда приходится иной раз битых полчаса любоваться унылым пейзажем. Задержка бывает здесь всегда, хотя бы на минуту, и благодаря этому я познакомился с любовницей Тома Бьюкенена.

О том, что у него есть любовница, говорили с уверенностью всюду, где только его знали. Возмущенно рассказывали, что он появляется с нею в модных кафе и, оставив ее за столиком, расхаживает по всему залу, окликая знакомых. Мне было любопытно на нее посмотреть, но знакомиться с нею я вовсе не хотел — однако пришлось. Как-то мы с Томом вместе ехали поездом в Нью-Йорк, и, когда поезд остановился у шлаковых куч, Том вдруг вскочил и, схватив меня под руку, буквально вытащил из вагона.

— Сойдем здесь, — настаивал он. — Я хочу познакомить тебя с моей приятельницей.

Он, должно быть, изрядно хватил за завтраком и, вздумав провести день в моем обществе, готов был осуществить свое намерение хотя бы силой. Ему даже в голову не приходило, что у меня могут быть другие планы на воскресенье.

Следуя за ним, я перебрался через невысокую беленую стену, ограждавшую железнодорожные пути, и под пристальным взглядом доктора Эклберга мы прошли шагов сто в обратную сторону. Кругом не было видно никаких признаков жилья, кроме трех кирпичных строений, вытянувшихся в ряд на краю пустыря, — этакая Главная улица в миниатюре, которая никуда не вела и ни с чем не пересекалась. В одном было торговое помещение, которое сейчас пустовало, в другом — ресторанчик, открытый круглые сутки, третье занимал гараж с вывеской: «Джордж Уилсон. Автомобили. Покупка, продажа и ремонт». Сюда мы и вошли.

Внутри было голо и убого; только в полутемном углу приткнулся поломанный «форд». Мне вдруг представилось, что этот гараж без машин — просто маскировка, отвод глаз, а над ним, должно быть, скрываются таинственные роскошные апартаменты; но тут из бокового закутка, служившего конторой, выглянул сам хозяин, вытирая ветошью руки. Это был рыхлый вялый блондин, анемичной, но в общем довольно приятной внешности. При виде нас в его голубых глазах заиграл влажный отсвет надежды.

— Привет, Уилсон, дружище, — сказал Том, весело хлопнув его по плечу. — Как делишки?

— Грех жаловаться, — отвечал Уилсон не слишком уверенным тоном. — Когда же вы продадите мне ту машину?

— На той неделе, мой шофер ее приводит в порядок.

— Мне кажется, он не очень спешит.

— А мне не кажется, — холодно отрезал Том. — Если вы не хотите ждать, я, в конце концов, могу продать ее и в другом месте.

— Нет-нет, что вы, — испугался Уилсон. — Вы меня не так поняли, я просто...

Конец фразы как-то заглох. Том в это время нетерпеливо оглядывался по сторонам. На лестнице вдруг послышались шаги, и через минуту плотная женская фигура загородила свет, падавший из закутка. Женщина была лет тридцати пяти, с наклонностью к полноте, но она несла свое тело с той чувственной повадкой, которая свойственна некоторым полным женщинам. В лице, оттененном синим в горошек крепдешиновым платьем, не было ни одной красивой или хотя бы правильной черты, но от всего ее существа так и веяло энергией жизни, словно в каждой жилочке тлел готовый вспыхнуть огонь. Она неспешно улыбнулась и, пройдя мимо мужа, точно это был не человек, а тень, подошла к Тому и поздоровалась с ним за руку, глядя ему в глаза. Потом облизнула губы и, не поворачивая головы, сказала мужу грудным, хрипловатым голосом:

— Принес бы хоть стулья, людям присесть негде.

— Сейчас, сейчас. — Уилсон торопливо кинулся к своему закутку и сразу пропал на беловатом фоне стены. Налет шлаковой пыли выбелил его темный костюм и бесцветные волосы, как и все кругом, — только на женщине, стоявшей теперь совсем близко к Тому, не был заметен этот налет.

— Ты мне нужна сегодня, — властно сказал Том. — Едем следующим поездом.

— Хорошо.

— Встретимся внизу, на перроне, у газетного киоска.

Она кивнула и отошла — как раз в ту минуту, когда в дверях показался Уилсон, таща два стула.

Мы подождали ее на шоссе, отойдя настолько, чтобы нас не было видно. Приближался праздник Четвертого июля, и тщедушный мальчишка-итальянец с серым лицом раскладывал вдоль железнодорожного полотна сигнальные петарды.

— Ужасная дыра, верно? — сказал Том, неодобрительно переглянувшись с доктором Эклбергом.

— Да, хуже не придумаешь.

— Вот она и рада бывает проветриться.

— А муж — ничего?

— Уилсон? Считается, что она ездит в Нью-Йорк к сестре в гости. Да он такой олух, не замечает даже, что живет на свете.

Так случилось, что Том Бьюкенен, его дама и я вместе отправились в Нью-Йорк, — впрочем, не совсем вместе: приличия ради миссис Уилсон ехала в другом вагоне. Со стороны Тома это была уступка щепетильности тех обитателей Уэст-Эгга, которые могли оказаться в поезде.

Она переоделась, и на ней теперь было платье из коричневого в разводах муслина, туго натянувшееся на ее широковатых бедрах, когда Том помогал ей выйти из вагона на Пенсильванском вокзале. В газетном киоске она купила киножурнал и номер «Таун Тэттл»[1], а у аптекарского прилавка — кольдкрем и флакончик духов. Наверху, в гулком полумраке крытого въезда, она пропустила четыре такси и остановила свой выбор только на пятом — новеньком автомобиле цвета лаванды, с серой обивкой, который наконец вывез нас из громады вокзала на залитую солнцем улицу. Но не успели мы отъехать, как она, резко

[1] «Town Tattle» — «Городские сплетни» *(англ.)*.

откинувшись от окна, застучала в стекло шоферу.

— Хочу такую собачку, — потребовала она. — Пусть у нас в квартирке живет собачка. Это так уютно.

Шофер дал задний ход, и мы поравнялись с седым стариком, до нелепости похожим на Джона Д. Рокфеллера. На груди у него висела корзина, в которой копошилось с десяток новорожденных щенков неопределенной масти.

— Это что за порода? — деловито осведомилась миссис Уилсон, как только старик подошел к машине.

— Всякая есть. Вам какая требуется, мадам?

— Мне бы хотелось немецкую овчарку. Такой у вас, наверно, нет?

Старик с сомнением глянул в свою корзину, запустил туда руку и вытащил за загривок барахтающуюся собачонку.

— Это не немецкая овчарка, — сказал Том.

— Да, пожалуй что, не совсем, — огорченно согласился старик. — Это, скорее, эрдельтерьер. — Он провел рукой по коричневой, словно бобриковой, спинке. — Вы посмотрите, шерсть какая. Богатая шерсть. Уж эту собаку вам не придется лечить от простуды.

— Она дуся! — восторженно объявила миссис Уилсон. — Сколько вы за нее хотите?

— За эту собаку? — Он окинул щенка восхищенным взглядом. — Эта собака вам обойдется в десять долларов.

Эрдельтерьер — среди его предков, несомненно, был и эрдельтерьер, несмотря на подозрительно белые лапы, — перекочевал на колени к миссис Уилсон, которая с упоением принялась гладить морозоустойчивую шерсть.

— А это мальчик или девочка? — деликатно осведомилась она.

— Эта собака? Эта собака — мальчик.

— Сука это, — уверенно сказал Том. — Вот деньги, держите. Можете купить на них еще десяток щенков.

Мы выехали на Пятую авеню, такую тихую, мирную, почти пасторально-идиллическую в этот теплый воскресный день, что я не удивился бы, если б из-за угла вдруг появилось стадо белых овечек.

— Остановите-ка на минуту, — сказал я. — Здесь я вас должен покинуть.

— Ну уж нет, — запротестовал Том. — Миртл обидится, если ты не посмотришь ее квартирку. Правда, Миртл?

— Поедемте с нами, — попросила миссис Уилсон. — Я позвоню Кэтрин. Это моя сестра, она красавица — так говорят люди понимающие.

— Я бы с удовольствием, но...

Мы покатили дальше, пересекли парк и выехали к западным сотым улицам. Вдоль Сто пятьдесят восьмой длинным белым пирогом протянулись одинаковые многоквартирные дома. У одного из ломтиков этого пирога мы остановились. Оглядевшись по сторонам с видом королевы, возвращающейся в родную столицу, миссис Уилсон подхватила щенка и прочие свои покупки и величественно проследовала в дом.

— Позвоню Мак-Ки, пусть они тоже зайдут, — говорила она, пока мы поднимались в лифте. — И не забыть сразу же вызвать Кэтрин.

Квартирка находилась под самой крышей — маленькая гостиная, маленькая столовая, маленькая спаленка и ванная комната. Гостиная была заставлена от двери до двери чересчур громоздкой для нее мебелью с гобеленовой обивкой, так что нельзя было ступить шагу, чтобы не наткнуться на группу прелестных дам, раскачивающихся на качелях в Версальском парке. Стены были голые, если не считать непомерно увеличенной фотографии, изображавшей, по-видимому, курицу на окутанной туманом скале. Стоило, впрочем, отойти подальше, как курица оказывалась вовсе не курицей, а шляпкой, из-под которой добродушно улыбалась почтенная старушка с пухленькими щечками. На столе валялись вперемешку старые номера «Таун Тэттл», томик, озаглавленный «Симон, называемый Петром», и несколько журнальчиков из тех, что питаются скандальной хроникой Бродвея. Миссис Уилсон, войдя, прежде всего занялась щенком. Мальчик-лифтер с явной неохотой отправился добывать ящик с соломой и молоко; к этому он, по собственной инициативе, добавил жестянку больших твердокаменных собачьих галет — одна такая галета потом до самого вечера уныло кисла в блюдечке с молоком. Пока шли все эти хлопоты, Том отпер дверцу секретера и извлек оттуда бутылку виски.

Я только два раза в жизни напивался пьяным; это и был второй раз. Поэтому все происходившее после я видел будто сквозь мутную дымку, хотя квартира, часов до восьми по крайней мере, была залита солнцем. Миссис Уилсон, усевшись к Тому на колени, без конца звонила кому-то по телефону; потом выяснилось, что нечего курить, и я пошел купить сигареты. Когда я вернулся, в гостиной никого не было; я скромно уселся в уголке и прочел целую главу из «Симона, называемого Петром» — но одно из двух: или это страшная чушь, или в голове у меня путалось после выпитого виски, — во всяком случае, я ровно ничего не мог понять.

Потом Том и Миртл (мы с миссис Уилсон после первой рюмки стали звать друг друга запросто по имени) вернулись в гостиную; вскоре появились и гости.

Кэтрин, сестра хозяйки, оказалась стройной, видавшей виды девицей лет тридцати с напудренным до молочной белизны лицом под густой шапкой рыжих, коротко остриженных волос. Брови у нее были выщипаны дочиста и потом наведены снова под более залихватским углом; но стремление природы вернуться к первоначальному замыслу придавало некоторую расплывчатость ее чертам. Каждое ее движение сопровождалось позвякиванием многочисленных керамических браслетов, скользивших по обнаженным рукам. Она вошла в комнату таким быстрым, уверенным шагом и так по-хозяйски оглядела всю мебель, что я подумал: может быть, она и живет здесь. Но когда я ее спросил об этом, она расхохоталась и неумеренно громко повторила вслух мой вопрос и потом сказала, что снимает номер в отеле, вдвоем с подругой.

Мистер Мак-Ки, сосед снизу, был бледный женоподобный человечек. Он, как видно, только что брился: на щеке у него засох клочок мыльной пены. Войдя, он долго и изысканно вежливо здоровался с каждым из присутствующих. Мне он объяснил, что принадлежит к «миру искусства»; как я узнал потом, он был фотографом, и это его творением был увеличенный портрет матери миссис Уилсон, точно астральное тело парившей на стене гостиной. Жена его была томная, красивая мегера с пронзительным голосом. Она гордо поведала мне, что со дня их свадьбы муж сфотографировал ее сто двадцать семь раз.

Миссис Уилсон еще раньше успела переодеться — на ней теперь был очень нарядный туалет из кремового шифона, шелестевший, когда она расхаживала по комнате. Переменив платье, она и вся стала как будто другая. Та кипучая энергия жизни, которая днем, в гараже, так поразила меня, превратилась в назойливую спесь. Смех, жесты, разговор — все в ней с каждой минутой становилось жеманнее; казалось, гостиная уже не вмещает ее развернувшуюся особу, и в конце концов она словно бы закружилась в дымном пространстве на скрипучем, лязгающем стержне.

— Ах, милая, — говорила она сестре, неестественно повысив голос, — вся эта публика только и смотрит, как бы тебя обобрать. У меня тут на прошлой неделе была женщина, приводила мне ноги в порядок, — так ты бы видела ее счет! Можно было подумать, что она мне удалила аппендицит.

— А как ее фамилия, этой женщины? — спросила миссис Мак-Ки.

— Миссис Эберхардт. Она ходит на дом приводить клиентам ноги в порядок.

— Мне очень нравится ваше платье, — сказала миссис Мак-Ки. — Прелесть.

Миссис Уилсон отклонила комплимент, презрительно подняв брови.

— Это такое старье, — сказала она. — Я его еще иногда надеваю, ну просто когда мне все равно, как я выгляжу.

— Нет, как хотите, а оно вам очень идет, — не уступила миссис Мак-Ки. — Если бы Честер мог снять вас в такой позе, я уверена, это было бы нечто.

Мы все молча уставились на миссис Уилсон, а она, откинув со лба выбившуюся прядь, отвечала нам ослепительной улыбкой. Мистер Мак-Ки внимательно посмотрел на нее, склонив голову набок, потом протянул руку вперед, убрал и опять протянул вперед.

— Я бы только дал другое освещение, — сказал он, помолчав немного. — Чтобы лучше выделить лепку лица. И я бы постарался, чтобы вся масса волос попала в кадр.

— Вот уж нипочем бы не стала менять освещение! — воскликнула миссис Мак-Ки. — По-моему, это как раз...

— Ш-ш-ш! — одернул ее муж, и мы снова сосредоточились на своем объекте, но тут Том Бьюкенен, шумно зевнув, поднялся на ноги.

— Вы бы лучше выпили чего-нибудь, почтенные супруги, — сказал он. — Миртл, добавь льду и содовой, пока все тут у тебя не заснули.

— Я уже приказала мальчишке насчет льда. — Миртл приподняла брови в знак своего возмущения нерадивостью черни. — Это такая публика! За ними просто нужно ходить следом.

Она взглянула на меня и ни с того ни с сего засмеялась. Потом схватила щенка, восторженно чмокнула его и вышла на кухню с таким видом, словно дюжина поваров ожидала там ее распоряжений.

— У меня на Лонг-Айленде кое-что неплохо получилось, — с апломбом произнес мистер Мак-Ки.

Том недоуменно воззрился на него.

— Две вещи даже висят у нас дома.

— Какие вещи? — спросил Том.

— Два этюда. Один я назвал «Мыс Монток. Чайки», а другой — «Мыс Монток. Море».

Рыжая Кэтрин уселась на диван рядом со мной.

— А вы тоже живете на Лонг-Айленде? — спросила она.

— Я живу в Уэст-Эгге.

— Да ну? Я там как-то раз была, с месяц тому назад. У некоего Гэтсби. Вы его не знаете?

— Он мой сосед.

— Говорят, он не то племянник, не то двоюродный брат кайзера Вильгельма. Вот откуда у него столько денег.

Этим увлекательным сообщениям о моем соседе помешала миссис Мак-Ки, которая вдруг воскликнула, указывая на Кэтрин:

— Честер, а ведь с ней бы у тебя тоже что-нибудь получилось!

Но мистер Мак-Ки только рассеянно кивнул и снова повернулся к Тому:

— Я бы охотно поработал еще на Лонг-Айленде, если бы представился случай. Мне бы только с чего-то начать, а там уж обойдусь без помощи.

— Обратитесь к Миртл, — хохотнув, сказал Том; миссис Уилсон в эту минуту входила с подносом. — Она вам напишет рекомендательное письмо — напишешь, Миртл?

— Какое письмо? — Она явно была озадачена.

— Рекомендательное письмо к твоему мужу, пусть мистер Мак-Ки сделает с него несколько этюдов. — Он пошевелил губами, придумывая. — «Джордж Б. Уилсон у бензоколонки» или что-нибудь в этом роде.

Кэтрин придвинулась ближе и шепнула мне на ухо:

— Она так же ненавидит своего мужа, как Том — свою жену.

— Да что вы!

— Просто не-на-видит! — Она посмотрела сперва на Миртл, потом на Тома. — А я так считаю — зачем жить с человеком, которого ненавидишь? Добились бы каждый развода и потом поженились бы. Я бы, по крайней мере, так поступила на их месте.

— Значит, она совсем не любит Уилсона?

Ответ меня ошарашил. Ответила сама Миртл, услыхавшая мой вопрос, ответила резко и цинично.

— Вот видите, — торжествующе сказала Кэтрин и потом снова перешла на полушепот: — Все дело в его жене. Она католичка, а католики не признают развода.

Дэзи вовсе не была католичкой, и я подивился хитроумию этой лжи.

— Когда они все-таки поженятся, — продолжала Кэтрин, — они уедут на Запад и там поживут, пока уляжется шум.

— Уж тогда лучше уехать в Европу.

— Ах, вы поклонник Европы? — неожиданно громко воскликнула Кэтрин. — Я совсем недавно вернулась из Монте-Карло.

— Вот как?

— Да, в прошлом году. Ездила вдвоем с подругой.

— И долго пробыли?

— Нет, мы только съездили в Монте-Карло и обратно. Через Марсель. У нас было с собой больше тысячи двухсот долларов, но за два дня в частных игорных залах нас обчистили до нитки. Как мы только домой добрались — даже вспомнить страшно. Господи, до чего ж я возненавидела этот город!

На миг предвечернее небо в окне засинело медвяной лазурью Средиземного моря — но пронзительный голос миссис Мак-Ки тут же возвратил меня в тесную гостиную.

— Я сама чуть не совершила такую ошибку, — во всеуслышание объявила она. — Чуть было не вышла за ничтожного человечка, который несколько лет ходил за мной как тень. А ведь знала, что он меня не стоит. И все мне говорили: «Люсиль, этот человек тебя не стоит!» Но, не повстречайся я с Честером, он бы меня в конце концов уломал.

— Да, но послушайте, — сказала Миртл Уилсон, качая головой. — Все ж таки вы за него не вышли.

— Как видите.

— А я вышла, — многозначительно сказала Миртл. — Вот в чем разница между вашим случаем и моим.

— А зачем было выходить, Миртл? — спросила Кэтрин. — Никто тебя, кажется, не неволил.

Миртл не сразу ответила.

— Я за него вышла, потому что думала, что он джентльмен, — сказала она наконец. — Думала, он человек воспитанный, а на самом деле он мне и в подметки не годился.

— Ты же по нем с ума сходила когда-то, — заметила Кэтрин.

— Я сходила по нем с ума? — возмутилась Миртл. — Кто это тебе сказал? Я не больше сходила с ума по нем, чем вот по этому господину.

Она ткнула пальцем в меня, и все посмотрели на меня с укоризной. Я постарался выразить всем своим видом, что ничуть не претендую на ее чувства.

— Вот когда я действительно с ума спятила, это когда вышла за него замуж. Но я сразу поняла свою ошибку. Он взял у приятеля костюм, чтобы надеть на свадьбу, а мне про это и не заикнулся. Через несколько дней — его как раз не было дома — приятель приходит и просит вернуть костюм. «Вот как, это ваш костюм? — говорю я. — Первый раз слышу». Но костюм все-таки отдала, а потом бросилась на постель и ревмя ревела до самой ночи.

— Ей правда нужно уйти от него, — снова зашептала мне Кэтрин. — Одиннадцать лет они так и живут над этим гаражом. А у нее даже ни одного дружка не было до Тома.

Бутылка виски — уже вторая за этот вечер — переходила из рук в руки; только Кэтрин не проявляла к ней интереса, уверяя, что ей «и так весело». Том вызвал швейцара и послал его за какими-то знаменитыми сандвичами, которые могли заменить целый ужин. Я то и дело порывался уйти; мягкие сумерки манили меня, и хотелось прогуляться пешком до парка, но всякий раз я оказывался втянутым в очередной оголтелый спор, точно веревками привязывавший меня к креслу. А быть может, в это самое время какой-нибудь случайный прохожий смотрел с темнеющей улицы в вышину, на наши освещенные окна, и думал о том, какие человеческие тайны прячутся за их желтыми квадратами. И мне казалось, что я вижу этого прохожего, его поднятую голову, задумчивое лицо. Я был здесь, но я был и там тоже, завороженный и в то же время испуганный бесконечным разнообразием жизни.

Миртл поставила себе кресло рядом со мной, и вместе с теплым дыханием на меня вдруг полился рассказ о ее первой встрече с Томом.

— Мы сидели в вагоне друг против друга, на боковых местах у выхода, которые всегда занимают в последнюю очередь. Я ехала в Нью-Йорк к сестре и должна была у нее ночевать. Том был во фраке, в лаковых туфлях, я просто глаз не могла от него отвести, но как только встречусь с ним взглядом, сейчас же делаю вид, будто рассматриваю рекламный плакат у него над головой. Когда стали выходить из вагона, он очутился рядом со мной и так прижался крахмальной грудью к моему плечу, что я пригрозила позвать полицейского, да он мне, конечно, не поверил. Я была сама не своя, — когда он меня подсаживал в машину, я даже не очень-то разбирала, такси это или вагон метро. А в голове одна мысль: «Живешь ведь только раз, только раз».

Она оглянулась на миссис Мак-Ки, и вся комната зазвенела ее деланым смехом.

— Ах, моя милая, — воскликнула она. — Я вам подарю это платье, когда совсем перестану его носить. Завтра я куплю себе новое. Нужно мне составить список всех дел, которые я должна сделать завтра. Массаж, потом парикмахер, потом еще надо купить ошейник для собачки, и такую маленькую пепельницу с пружинкой, они мне ужасно нравятся, и венок с черным шелковым бантом мамочке на могилку, из таких цветов, что все лето не вянут. Непременно нужно все это записать, чтобы я ничего не забыла.

Было девять часов — но почти сейчас же я снова посмотрел на часы, и оказалось, что уже десять. Мистер Мак-Ки спал в кресле, раздвинув колени и положив на них сжатые кулаки, точно важный деятель, позирующий перед объективом. Я достал носовой платок и стер с его щеки засохшую мыльную пену, которая мне весь вечер не давала покоя.

Щенок сидел на столе, моргал слепыми глазами в табачном дыму и время от времени принимался тихонько скулить. Какие-то люди появлялись, исчезали, сговаривались идти куда-то, теряли друг друга, искали и снова находили на расстоянии двух шагов. Уже около полуночи я услышал сердитые голоса Тома Бьюкенена и миссис Уилсон; они стояли друг против друга и запальчиво спорили о том, имеет ли право миссис Уилсон произносить имя Дэзи.

— Дэзи! Дэзи! Дэзи! — выкрикивала миссис Уилсон. — Вот хочу и буду повторять, пока не надоест. Дэзи! Дэ...

Том сделал короткое, точно рассчитанное движение и ребром ладони разбил ей нос.

Потом были окровавленные полотенца на полу ванной, негодующие возгласы женщин и надсадный, долгий крик боли, вырывавшийся из общего шума. Мистер Мак-Ки очнулся от сна, встал и в каком-то оцепенении направился к двери. На полдороге он обернулся и с минуту созерцал всю сцену: сдвинутая мебель, среди нее суетятся его жена и Кэтрин, браня и утешая, хватаясь то за одно, то за другое в попытках оказать помощь; а на диване лежит истекающая кровью жертва и судорожно старается прикрыть номером «Таун Тэттл» гобеленовый Версаль. Затем мистер Мак-Ки повернулся и продолжал свой путь к двери. Схватив свою шляпу с канделябра, я вышел вслед за ним.

— Давайте как-нибудь позавтракаем вместе, — предложил он, когда мы, вздыхая и охая, ехали на лифте вниз.

— А где?

— Где хотите.

— Оставьте в покое рычаг, — рявкнул лифтер.

— Прошу прощения, — с достоинством произнес мистер Мак-Ки. — Я не заметил, что прикасаюсь к нему.

— Ну что ж, — сказал я. — С удовольствием.

...Я стоял у его постели, а он сидел на ней в нижнем белье с большой папкой в руках.

— «Зверь и красавица»... «Одиночество»... «Рабочая кляча»... «Бруклинский мост»...

Потом я лежал на скамье в промозглой сырости Пенсильванского вокзала и таращил слипающиеся глаза на утренний выпуск «Трибюн» в ожидании четырехчасового поезда.

Глава III

Летними вечерами на вилле у моего соседа звучала музыка. Мужские и женские силуэты вились, точно мотыльки, в синеве его сада, среди приглушенных голосов, шампанского и звезд. Днем, в час прилива, мне было видно, как его гости прыгают в воду с вышки, построенной на его причальном плоту, или загорают на раскаленном песке его пляжа, а две его моторки режут водную гладь пролива Лонг-Айленд и за ними на пенной волне взлетают акваланы. По субботам и воскресеньям его «роллс-ройс» превращался в рейсовый автобус и с утра до глубокой ночи возил гостей из города или в город, а его многоместный «форд» к приходу каждого поезда торопливо бежал на станцию, точно желтый проворный жук. А в понедельник восемь слуг, включая специально нанятого второго садовника, брали тряпки, швабры, молотки и садовые ножницы и трудились весь день, удаляя следы вчерашних разрушений.

Каждую пятницу шесть корзин апельсинов и лимонов прибывали от фруктовщика из Нью-

Йорка — и каждый понедельник эти же апельсины и лимоны покидали дом с черного хода в виде горы полузасохших корок. На кухне стояла машина, которая за полчаса выжимала сок из двухсот апельсинов — для этого только нужно было двести раз надавить пальцем кнопку.

Раза два или даже три в месяц на виллу являлась целая армия поставщиков. Привозили несколько сот ярдов брезента и такое количество разноцветных лампочек, будто собирались превратить сад Гэтсби в огромную рождественскую елку. На столах, в сверкающем кольце закусок, выстраивались окорока, нашпигованные специями, салаты, пестрые, как трико арлекина, поросята, запеченные в тесте, жареные индейки, отливающие волшебным блеском золота. В большом холле воздвигалась высокая стойка, даже с медной приступкой, как в настоящем баре, и чего там только не было — и джин, и ликеры, и какие-то старомодные напитки, вышедшие из употребления так давно, что многие молодые гостьи не знали их даже по названиям.

К семи часам оркестр уже на местах — не какие-нибудь жалкие полдюжины музыкантов, а полный состав: и гобои, и тромбоны, и саксофоны, и альты, и корнет-пистоны, и флейты-пикколо, и большие и малые барабаны. Пришли уже с пляжа последние купальщики и переодеваются наверху; вдоль подъездной аллеи по пять в ряд стоят машины гостей из Нью-

Йорка, а в залах, в гостиной, на верандах, уже запестревших всеми цветами радуги, можно увидеть головы, стриженные по последней причуде моды, и шали, какие не снились даже кастильским сеньоритам. Бар работает вовсю, а по саду там и сям проплывают подносы с коктейлями, наполняя ароматами воздух, уже звонкий от смеха и болтовни, сплетен, прерванных на полуслове, завязывающихся знакомств, которые через минуту будут забыты, и пылких взаимных приветствий дам, никогда и по имени друг дружку не знавших.

Огни тем ярче, чем больше земля отворачивается от солнца; вот уже оркестр заиграл золотистую музыку под коктейли, и оперный хор голосов зазвучал тоном выше. Смех с каждой минутой льется все свободней, все расточительней, готов хлынуть потоком от одного шутливого словца. Кружки гостей то и дело меняются, обрастают новыми пополнениями, не успеет один распасться, как уже собрался другой. Появились уже непоседы из самоуверенных молодых красоток: такая мелькнет то тут, то там среди дам посолидней, на короткий, радостный миг станет центром внимания кружка — и уже спешит дальше, возбужденная успехом, сквозь прилив и отлив лиц, и красок, и голосов, в беспрестанно меняющемся свете.

Но вдруг одна такая цыганская душа, вся в волнах чего-то опалового, для храбрости залпом выпив выхваченный прямо из воздуха коктейль, выбежит на брезентовую площадку и закружится в танце без партнеров. Мгновенная тишина; затем дирижер галантно подлаживается под заданный ею темп, и по толпе бежит уже пущенный кем-то ложный слух, будто это дублерша Гильды Грей из варьете «Фоли». Вечер начался.

В ту субботу, когда я впервые перешагнул порог виллы Гэтсби, я, кажется, был одним из немногих приглашенных гостей. Туда не ждали приглашения — туда просто приезжали, и все. Садились в машину, ехали на Лонг-Айленд и в конце концов оказывались у Гэтсби.

Обычно находился кто-нибудь, кто представлял вновь прибывшего хозяину, и потом каждый вел себя так, как принято себя вести в загородном увеселительном парке. А бывало, что гости приезжали и уезжали, так и не познакомившись с хозяином, — простодушная непосредственность, с которой они пользовались его гостеприимством, сама по себе служила входным билетом.

Но я был приглашен по всей форме. Ранним утром передо мной предстал шофер в ярко-голубой ливрее цвета яйца певчего дрозда и вручил мне послание, удивившее меня своей церемонностью; в нем говорилось, что мистер Гэтсби почтет для себя величайшей честью, если я нынче пожалую к нему «на небольшую вечеринку». Он неоднократно видел меня издали и давно собирался нанести мне визит, но досадное стечение обстоятельств помешало ему осуществить это намерение. И подпись: Джей Гэтсби, с внушительным росчерком.

В начале восьмого, одетый в белый фланелевый костюм, я ступил на территорию Гэтсби и сразу же почувствовал себя довольно неуютно среди множества незнакомых людей, — правда, в водовороте, бурлившем на газонах и дорожках, я различал порой лица, не раз виденные в пригородном поезде. Меня сразу поразило большое число молодых англичан, вкрапленных в толпу; все они были безукоризненно одеты, у всех был немножко голодный вид, и все сосредоточенно и негромко убеждали в чем-то солидных, излучающих благополучие американцев. Я тут же решил, что они что-то продают — ценные бумаги, или страховые полисы, или автомобили. Как видно, близость больших и легких денег болезненно дразнила их аппетит, создавая уверенность, что стоит сказать нужное слово нужным тоном, и эти деньги уже у них в кармане.

Придя на виллу, я прежде всего попытался разыскать хозяина, но первые же два-три человека, которых я спросил, не знают ли они, где его можно найти, посмотрели на меня так удивленно и с таким пылом поспешили убедить меня в своей полной неосведомленности на этот счет, что я уныло поплелся к столу с коктейлями — единственному месту в саду, где одинокому гостю можно было приткнуться без риска выглядеть очень уж бесприютным и жалким.

Вероятно, я бы напился вдребезги просто от смущения, но тут я увидел Джордан Бейкер. Она вышла из дома и остановилась на верхней ступеньке мраморной лестницы, слегка отклонив назад корпус и с презрительным любопытством поглядывая вниз.

Я не знал, обрадуется она мне или нет, но мне до зарезу нужно было за кого-то ухватиться, пока я еще не начал приставать к посторонним с душевными разговорами.

— Здравствуйте! — завопил я, бросившись к лестнице. Мой голос неестественно и громко раскатился по всему саду.

— Я так и думала, что встречу вас здесь, — небрежно заметила Джордан, когда я поднимался по мраморным ступеням. — Вы ведь говорили, что живете рядом с...

Она слегка придержала мою руку, в знак того что займется мною чуть погодя, а сама вопросительно повернулась к двум девицам в совершенно одинаковых желтых платьях, остановившимся у подножия лестницы.

— Здравствуйте! — воскликнули девицы дуэтом. — Как обидно, что победили не вы!

Речь шла о состязаниях в гольф. На прошлой неделе Джордан проиграла финальную встречу.

— Вы нас не узнаёте, — сказала одна из желтых девиц, — а мы здесь же и познакомились, с месяц назад.

— У вас тогда волосы были другого цвета, — возразила Джордан.

Я так и подскочил, но девицы уже прошли мимо, и ее замечание могла принять на свой счет только скороспелая луна, доставленная, должно быть, в корзине вместе с закусками. Продев свою руку под тонкую золотистую руку Джордан, я свел ее с лестницы, и мы пошли бродить по саду. Из сумрака выплыл навстречу поднос с коктейлями, и мы, взяв по бокалу, присели к столику, где уже расположились желтые девицы и трое мужчин, каждый из которых был нам представлен как мистер Брмр.

— Вы часто бываете здесь? — спросила Джордан у ближайшей девицы.

— Последний раз вот тогда, когда познакомилась с вами, — бойко отрапортовала та. — И ты, кажется, тоже, Люсиль? — обратилась она к своей подруге.

Выяснилось, что и Люсиль тоже.

— А мне здесь нравится, — сказала Люсиль. — Я вообще живу не раздумывая, поэтому мне всегда весело. В тот раз я зацепилась за стул и порвала платье. Он спросил мою фамилию и адрес — и через три дня мне приносят коробку от Круарье, а в коробке новое вечернее платье.

— И вы приняли? — спросила Джордан.

— Конечно приняла. Я даже думала его сегодня надеть, но нужна небольшая переделка: в груди широковато. Цвета лаванды, с вышивкой светло-лиловым бисером. Двести шестьдесят пять долларов.

— Все-таки обыкновенный человек так поступать не станет, — с апломбом сказала первая девица. — Видно, что он старается избегать неприятностей с кем бы то ни было.

— Кто «он»? — спросил я.

— Гэтсби. Мне говорили...

Обе девицы и Джордан заговорщически сдвинули головы.

— Мне говорили, будто он когда-то убил человека.

Мороз побежал у нас по коже. Три мистера Брмр вытянули шеи, жадно вслушиваясь.

— А по-моему, вовсе не в этом дело, — скептически возразила Люсиль. — Скорее, в том, что во время войны он был немецким шпионом.

Один из мужчин энергично закивал в подтверждение.

— Я сам слышал об этом от человека, который знает его, как родного брата. Вместе с ним вырос в Германии, — поспешил он нас заверить.

— Ну как же это может быть? — спросила первая девица. — Ведь во время войны он служил в американской армии. — И наше доверие опять переметнулось к ней, а она торжествующе продолжала: — Вы обратите внимание, какое у него бывает лицо, когда он думает, что его никто не видит. Можете не сомневаться: он убийца.

Она зажмурила глаза и поежилась. Люсиль поежилась тоже. Мы все стали оглядываться, ища глазами Гэтсби. Должно быть, и в самом деле было что-то романтическое в этом человеке, если слухи, ходившие о нем, повторяли шепотом даже те, кто мало о чем на свете считал нужным говорить, понизив голос.

Стали подавать первый ужин — после полуночи предстоял второй, — и Джордан пригласила меня присоединиться к ее компании, облюбовавшей стол в другом конце сада. Компанию составляли две супружеские пары и кавалер Джордан, студент из породы вечных, изъяснявшийся многозначительными намеками и явно убежденный, что рано или поздно Джордан предоставит свою особу в более или менее полное его распоряжение. Вместо того чтобы по приезде разбрестись кто куда, они держались горделиво, замкнутым кружком, взяв на себя миссию представлять здесь положительную, аристократическую часть местного общества. То был Ист-Эгг, снизошедший до Уэст-Эгга и бдительно обороняющийся от его калейдоскопического веселья.

— Уйдем отсюда, — шепнула мне Джордан, когда прошли полчаса, показавшиеся томительными и ненужными. — Мне уже невмоготу от этих церемоний.

Мы оба встали из-за стола; мы хотим поискать хозяина дома, объяснила Джордан: мне неловко, что я ему до сих пор не представлен. Студент кивнул со снисходительной, меланхолической усмешкой.

В баре, куда мы заглянули прежде всего, было людно и шумно, но Гэтсби там не оказалось. Джордан взошла на крыльцо и оттуда оглядела сад, но его нигде не было видно. Не найдя его и на боковой веранде, мы наугад толкнули внушительного вида дверь и очутились в библиотеке — комнате с высокими готическими сводами и панелями резного дуба на английский манер, должно быть перевезенной целиком из какого-нибудь разоренного родового гнезда за океаном.

Пожилой толстяк в огромных выпуклых очках, делавших его похожим на филина, сидел на краю стола, явно в подпитии, задумчиво созерцая полки с книгами. Когда мы вошли, он стремительно повернулся и оглядел Джордан с головы до ног.

— Как вам это нравится? — порывисто спросил он.

— Что именно?

Он указал рукой на книжные полки:

— Вот это. Проверять не трудитесь. Уже проверено. Все — настоящие.

— Книги?

Он кивнул головой.

— Никакого обмана. Переплет, страницы, все как полагается. Я был уверен, что тут одни корешки, а оказывается — они настоящие. Переплет, страницы... Да вот, посмотрите сами!

Убежденный в нашем недоверии, он подбежал к полке, выхватил одну книгу и протянул нам. Это был первый том «Лекций» Стоддарда.

— Видали? — торжествующе воскликнул он. — Обыкновенное печатное издание, без всяких подделок. На этом я и попался. Этот тип — второй Беласко. Разве не шедевр? Какая продуманность! Какой реализм! И заметьте: знал, когда остановиться, — страницы не разрезаны. Но чего вы хотите? Чего тут можно ждать?

Он вырвал книгу у меня из рук и поспешно вставил на место, бормоча, что, если один кирпич вынут, может обвалиться все здание.

— Вас кто привел? — спросил он. — А может, вы пришли сами? Меня привели. Тут почти всех приводят.

Джордан метнула на него короткий веселый взгляд, но не ответила.

— Меня привела дама по фамилии Рузвельт, — продолжал он. — Миссис Клод Рузвельт. Не слыхали? Где-то я с ней вчера познакомился. Я, знаете, уже вторую неделю пьян, вот и решил посидеть в библиотеке, — может, думаю, скорее протрезвлюсь.

— Ну и как, помогло?

— Кажется — немножко. Пока еще трудно сказать. Я здесь всего час. Да, я вам не говорил про книги? Представьте себе, они настоящие. Они...

— Вы нам говорили.

Мы с чувством пожали ему руку и снова вышли в сад.

На брезенте, натянутом поверх газона, уже начались танцы: старички двигали перед собой пятившихся молодых девиц, выписывая бесконечные неуклюжие петли; по краям топтались самодовольные пары, сплетаясь в причудливом модном изгибе тел, — и очень много девушек танцевало в одиночку, каждая на свой лад, а то вдруг давали минутную передышку музыканту, игравшему на банджо или на кастаньетах. К полуночи веселье было в полном разгаре. Уже знаменитый тенор спел итальянскую арию, а прославленное контральто — джазовую песенку, а в перерывах между номерами гости развлекались сами, изощряясь, кто как мог, и к летнему небу летели всплески пустого, беспечного смеха. Эстрадная пара близнецов — это оказались наши желтые девицы — исполнила в костюмах сценку из детской жизни; лакеи между тем разносили шампанское в бокалах с полоскательницу величиной. Луна уже поднялась высоко, и на воде пролива лежал треугольник из серебряных чешуек, чуть-чуть подрагивая в такт сухому металлическому треньканью банджо в саду.

Мы с Джордан Бейкер по-прежнему были вместе. За нашим столиком сидели еще двое: мужчина примерно моих лет и шумливая маленькая девушка, от каждого пустяка готовая хохотать до упаду. Мне теперь тоже было легко и весело. Я выпил две полоскательницы шампанского, и все, что я видел перед собой, казалось мне исполненным глубокого, первозданного смысла.

Во время короткого затишья мужчина вдруг посмотрел на меня и улыбнулся.

— Мне ваше лицо знакомо, — сказал он приветливо. — Вы, случайно, не в третьей дивизии служили во время войны?

— Ну как же, конечно. В девятом пулеметном батальоне.

— А я — в седьмом пехотном полку, вплоть до мобилизации в июне тысяча девятьсот восемнадцатого года. Недаром у меня все время такое чувство, будто мы уже где-то встречались.

Мы немного повспоминали серые, мокрые от дождя французские деревушки. Потом он сказал, что недавно купил гидроплан и собирается испытать его завтра утром, — из чего я заключил, что он живет где-то по соседству.

— Может быть, составите мне компанию, старина? Покатаемся по проливу вдоль берега?

— А в какое время?

— В любое, когда вам удобно.

Я уже открыл рот, чтобы осведомиться о его фамилии, но тут Джордан оглянулась на меня и спросила с улыбкой:

— Ну как, перестали хандрить?

— Почти перестал, спасибо. — Я снова повернулся к своему новому знакомцу: — Никак не привыкну к положению гостя, незнакомого с хозяином. Ведь я этого Гэтсби в глаза не видал. Просто я живу тут рядом, — я махнул рукой в сторону невидимой изгороди, — и он прислал мне с шофером приглашение.

Я заметил, что мой собеседник смотрит на меня как-то растерянно.

— Так ведь это я — Гэтсби, — сказал он вдруг.

— Что?! — воскликнул я. — Ох, извините, ради бога!

— Я думал, вы знаете, старина. Плохой, видно, из меня хозяин.

Он улыбнулся мне ласково — нет, гораздо больше чем ласково. Такую улыбку, полную неиссякаемой ободряющей силы, удается встретить четыре, ну — пять раз в жизни. Какое-то мгновение она, кажется, вбирает в себя всю полноту внешнего мира, потом, словно повинуясь неотвратимому выбору, сосредоточивается на вас. И вы чувствуете, что вас понимают ровно настолько, насколько вам угодно быть понятым, верят в вас в той мере, в какой вы в себя верите сами, и безусловно видят вас именно таким, каким вы больше всего хотели бы казаться. Но тут улыбка исчезла — и передо мною был просто расфранченный хлыщ, лет тридцати с небольшим, отличающийся почти смехотворным пристрастием к изысканным оборотам речи. Это пристрастие, это старание тщательно подбирать слова в разговоре я заметил в нем еще до того, как узнал, кто он такой.

Почти в ту же минуту прибежал слуга и доложил, что мистера Гэтсби вызывает Чикаго. Тот встал и извинился с легким поклоном, обращенным к каждому из нас понемногу.

— Вы тут, пожалуйста, не стесняйтесь, старина, — обратился он ко мне. — Захочется чего-нибудь — только велите лакею. А я скоро вернусь. Прошу прощения.

Как только он отошел, я повернулся к Джордан: мне не терпелось высказать ей свое изумление. Почему-то я представлял себе мистера Гэтсби солидным мужчиной в летах, с брюшком и румяной физиономией.

— Кто он вообще такой? — спросил я. — Вы знаете?

— Некто по фамилии Гэтсби, вот и все.

— Но откуда он родом? Чем занимается?

— Ну вот, теперь и вы туда же, — протянула Джордан с ленивой усмешкой. — Могу сказать одно: он мне как-то говорил, что учился в Оксфорде.

В глубине картины начал смутно вырисовываться какой-то фон, но следующее замечание Джордан снова все смешало.

— Впрочем, я этому не верю.

— Почему?

— Сама не знаю, — решительно сказала она. — Просто мне кажется, что никогда он в Оксфорде не был.

Что-то в ее тоне напоминало слова желтой девицы: «Мне кажется, что он убийца» — и это лишь подстрекнуло мое любопытство. Пусть бы мне сказали, что Гэтсби — выходец с луизианских болот или из самых нищенских кварталов нью-йоркского Ист-Сайда, я бы не удивился и не задумался. В этом не было ничего невероятного. Но чтобы молодые люди выскакивали просто ниоткуда и покупали себе дворцы на берегу пролива Лонг-Айленд — так не бывает; по крайней мере, я, неискушенный провинциал, считал, что так не бывает.

— Во всяком случае, у него всегда собирается много народу, — сказала Джордан, уходя от разговора с чисто городской нелюбовью к конкретности. — А мне нравятся многолюдные сборища. На них как-то уютнее. В небольшой компании никогда не чувствуешь себя свободно.

В оркестре бухнул большой барабан, и дирижер вдруг звонко выкрикнул, перекрывая многоголосый гомон:

— Леди и джентльмены! По просьбе мистера Гэтсби мы сейчас сыграем вам новую вещь Владимира Тостова, которая в мае произвела такое большое впечатление в Карнеги-холле. Те из вас, кто читает газеты, вероятно, помнят, что это была настоящая сенсация. — Он улыбнулся снисходительно-весело и добавил: — Фу-рор!

Кругом засмеялись.

— Итак, — он еще повысил голос: — Владимир Тостов, «Джазовая история человечества».

Но мне не суждено было оценить произведения мистера Тостова, потому что при первых же тактах музыки я вдруг увидел Гэтсби. Он стоял на верхней ступеньке мраморной лестницы и с довольным видом оглядывал группу за группой. Смуглая от загара кожа приятно обтягивала его лицо, короткие волосы лежали так аккуратно, словно их подстригали каждый день. Ничего зловещего я в нем усмотреть не мог. Быть может, то, что он совсем не пил, и выделяло его из толпы гостей — ведь чем шумней становилось общее веселье, тем он, казалось, больше замыкался в своей корректной сдержанности. Под заключительные звуки «Джазовой истории человечества» одни девицы с кокетливой фамильярностью склонялись к мужчинам на плечо, другие, пошатнувшись, притворно падали в обморок, не сомневаясь, что их подхватят крепкие мужские руки — и, может быть, даже не одни; но никто не падал в обморок на руки Гэтсби, и ничья под мальчишку остриженная головка не касалась его плеча, и ни один импровизированный вокальный квартет не составлялся с его участием.

— Простите, пожалуйста.

Возле нас стоял лакей.

— Мисс Бейкер? — осведомился он. — Простите, пожалуйста, но мистер Гэтсби хотел бы побеседовать с вами наедине.

— Со мной? — воскликнула удивленная Джордан.

— Да, мисс.

Она оглянулась на меня, недоуменно вскинув брови, встала и пошла за лакеем по направлению к дому. Я заметил, что и в вечернем платье, да и в любом другом, она двигается так, как будто на ней надет спортивный костюм: была в ее походке пружинистая легкость, словно свои первые шаги она училась делать на поле для гольфа ясным погожим утром.

Я остался один. Было уже два часа. Какие-то невнятные загадочные звуки доносились из комнаты, длинным рядом окон выходившей на веранду. Я ускользнул от студента Джордан, пытавшегося втянуть меня в разговор на акушерско-гинекологическую тему, который он успел завести с двумя эстрадными певичками, и пошел в дом.

Большая комната была полна народу. Одна из желтых девиц сидела за роялем, а рядом стояла рослая молодая особа с рыжими волосами, дива из знаменитого эстрадного ансамбля, и пела. Она выпила много шампанского, и на втором куплете исполняемой песенки жизнь вдруг показалась ей невыносимо печальной — поэтому она не только пела, но еще и плакала навзрыд. Каждую музыкальную паузу она заполняла короткими судорожными всхлипываниями, после чего дрожащим сопрано выводила следующую фразу. Слезы лились у нее из глаз — впрочем, не без препятствий: повиснув на густо накрашенных ресницах, они приобретали чернильный оттенок и дальше стекали по щекам в виде медлительных черных ручейков. Какой-то шутник высказал предположение, что она поет по нотам, написанным у нее на лице; услышав это, она всплеснула руками, повалилась в кресло и тут же уснула мертвецким пьяным сном.

— У нее вышла ссора с господином, который называет себя ее мужем, — пояснила молодая девушка, стоявшая со мною рядом.

Я огляделся по сторонам. Большинство дам, которые еще не успели уехать, заняты были тем, что ссорились со своими предполагаемыми мужьями. Даже в компанию Джордан, квартет из Ист-Эгга, проник разлад. Один из мужчин увлекся разговором с молоденькой актрисой, а его жена сперва высокомерно делала вид, что это ее нисколько не трогает и даже забавляет, но в конце концов не выдержала и перешла к фланговым атакам — каждые пять минут она неожиданно вырастала сбоку от мужа и, сверкая, точно разгневанный бриллиант, шипела ему в ухо: «Ты же обещал!»

Впрочем, не одни ветреные мужья отказывались ехать домой. У самого выхода шел спор между двумя безнадежно трезвыми мужчинами и их негодующими женами. Жены обменивались сочувственными репликами в слегка повышенном тоне:

— Стоит ему заметить, что мне весело, — сейчас же он меня тянет домой.

— В жизни не видела такого эгоиста.

— Всегда мы должны уходить первыми.

— И мы тоже.

— Но сегодня мы чуть ли не последние, — робко возразил один из мужей. — Оркестр и то уже час как уехал.

Невзирая на дружные обвинения в неслыханном тиранстве, мужья все же одержали верх; после недолгой борьбы упирающиеся дамы были подхвачены под мышки и вытащены в темноту ночи.

Пока я ждал, когда мне подадут мою шляпу, отворилась дверь библиотеки и в холл вышла Джордан Бейкер вместе с Гэтсби. Он что-то взволнованно договаривал на ходу, но, увидев его, несколько человек подошли проститься, и его волнение сразу же заморозила светская любезность.

Спутники Джордан были уже в дверях и нетерпеливо окликали ее, но она остановилась, чтобы попрощаться со мной.

— Я только что выслушала совершенно невероятную историю, — шепнула она. — Что, мы там долго пробыли?

— Добрый час.

— Да... просто невероятно, — рассеянно повторила она. — Но я дала слово, что никому не расскажу, так что не буду вас мучить. — Она мило зевнула мне прямо в лицо. — Заходите как-нибудь, буду очень рада... Телефон есть в справочнике... На имя миссис Сигурни Хауорд... Моя тетя... — Она уже бежала к дверям — легкий взмах смуглой руки на прощанье, и она исчезла среди заждавшихся спутников.

Чувствуя некоторую неловкость, оттого что мой первый визит так затянулся, я подошел к Гэтсби, вокруг которого теснились последние гости. Я хотел объяснить, что почти весь вечер искал случая ему представиться и попросить извинения за свою давешнюю оплошность.

— Ну что вы, какие пустяки, — прервал он меня. — Даже и не думайте об этом, старина. — В этом фамильярном обращении было не больше фамильярности, чем в ободряющем прикосновении его руки к моему плечу. — И не забудьте: завтра в девять часов утра мы с вами отправляемся в полет на гидроплане.

Но тут голос лакея из-за его спины:

— Вас вызывает Филадельфия, сэр.

— Сейчас иду. Скажите, пусть подождут минутку... Спокойной ночи.

— Спокойной ночи.

— Спокойной ночи. — Он улыбнулся, и мне вдруг показалось, что это так и нужно было, чтобы я покинул его дом одним из последних, что он словно бы сам этого хотел и радовался этому. — Спокойной ночи, старина... спокойной ночи.

Но когда я спустился с лестницы, выяснилось, что вечер еще не окончен. Впереди, шагах в пятидесяти, свет десятка автомобильных фар выхватывал из ночной тьмы странное и беспорядочное зрелище. В придорожном кювете, выставив ободранный правый бок без переднего колеса, покоился новенький двухместный автомобиль, за минуту до этого отъехавший от дома Гэтсби. Острый выступ стены объяснял историю оторванного колеса — оно, кстати, валялось тут же, и несколько шоферов, побросав свои машины, с интересом осматривали его и ощупывали. На дороге тем временем успела образоваться пробка, и неумолчный разноголосый рев клаксонов из задних рядов еще увеличивал сумятицу.

Какой-то человек в длиннополом пыльнике вылез из обломков крушения и теперь стоял посреди дороги, с трогательным недоумением переводя взгляд с машины на колесо и с колеса на зрителей.

— Видали? — произнес он. — Угодили в кювет.

Самый факт, по-видимому, безгранично изумлял его. Мне показалась знакомой эта редкостная глубина удивления, и в следующую минуту я узнал его — это был недавний искатель уединения из библиотеки Гэтсби.

— Как это случилось?

Он пожал плечами.

— Я в технике ничего не понимаю, — решительно объявил он.

— Но как это случилось? Вы налетели на стену?

— Меня не спрашивайте, — сказал Филин с видом человека, умывающего руки. — Автомобилист из меня слабый, можно сказать — никакой. Случилось, и все.

— Если вы неопытный водитель, так не пытались бы править ночью.

— А я и не пытался, — возразил он с негодованием. — Я даже и не пытался.

Все кругом замерли от ужаса.

— Вы что же, самоубийство задумали?

— Скажите спасибо, что отделались одним колесом. Человек садится за руль и даже не пытается править!

— Вы не так поняли, — запротестовал преступник. — Я вовсе не сидел за рулем. Нас в машине было двое.

Это заявление положительно оглушило всех. Сдавленное «о-ох!» пронеслось над дорогой. Но тут дверца машины начала медленно отворяться. Толпа (теперь это уже была толпа) невольно попятилась, и, когда дверца откинулась совсем, наступила зловещая пауза. Затем из машины очень медленно, по частям, высунулась бледная разболтанная личность и осторожно стала нащупывать почву дорогим башмаком солидных размеров.

Ослепленный ярким светом фар, одуревший от беспрерывного воя клаксонов, призрак пошатывался из стороны в сторону, пока наконец не заметил человека в пыльнике.

— В чем дело? — невозмутимо осведомился он. — Бе-бензин кончился?

— Вы взгляните сюда!

Несколько пальцев указывало на ампутированное колесо. Он уставился было на него, потом поднял глаза вверх, будто заподозрил, что оно свалилось с неба.

— Отлетело напрочь, — пояснил кто-то.

Он кивнул.

— А я и не зам-метил, что мы с-стоим.

Пауза. Потом, с шумом набрав воздух в легкие и расправив плечи, он деловито спросил:

— Кто-нибудь знает, где тут м-можно заправиться?

С десяток голосов (часть из них звучала немного более твердо) принялись втолковывать ему, что между машиной и колесом более не существует физической связи.

— А вы задним ходом, — посоветовал он, немного подумав. — Назад, потом вперед.

— Так нет же колеса!

Он помедлил в нерешительности.

— П-попробовать-то можно, — сказал он наконец.

Кошачий концерт гудков достиг своего апогея. Я повернулся и прямиком по газону пошел домой. По дороге мне вдруг захотелось оглянуться. Облатка луны сияла над виллой Гэтсби, и ночь была все так же прекрасна, хотя в саду, еще освещенном фонарями, уже не звенел смех и веселые голоса. Нежданная пустота струилась из окон, из широкой двери, и от этого особенно одиноким казался на ступенях силуэт хозяина дома с поднятой в прощальном жесте рукой.

Перечитав написанное, я вижу, что может создаться впечатление, будто я только и жил тогда что событиями этих трех вечеров, разделенных промежутками в несколько недель. На самом же деле это были для меня лишь случайные эпизоды насыщенного событиями лета, и в ту пору, во всяком случае, они занимали меня несравненно меньше, чем личные мои дела.

Прежде всего, я работал. Утреннее солнце отбрасывало на запад мою тень, когда я шагал по белым ущельям деловой части Нью-Йорка, торопясь в свое богоугодное заведение. Я знал по именам всех прочих молодых клерков и агентов по продаже ценных бумаг. Мы вместе завтракали в полутемных, переполненных ресторанчиках свиными сосисками с картофельным пюре, запивая их чашкой кофе. У меня даже завязалась интрижка с одной девушкой из Джерси-Сити, которая служила у нас счетоводом, но ее брат стал зловеще коситься на меня при встречах, и, когда в июле она уехала в отпуск, я воспользовался этим, чтобы поставить точку.

Обедал я в Йельском клубе — почему-то это было для меня самым тягостным делом за день, — а после шел наверх, в библиотеку, и час-другой прилежно трудился, вникая в тайны инвестиций и кредитов. Среди завсегдатаев клуба попадалось немало шумных гуляк, но в библиотеку они не заглядывали, и там всегда можно было спокойно поработать. Потом, если вечер был погожий, я брел пешком по Мэдисон-авеню, мимо старой гостиницы Меррэй-хилл и, свернув на Тридцать третью улицу, выходил к Пенсильванскому вокзалу.

Понемногу я полюбил Нью-Йорк, пряный, дразнящий привкус его вечеров, непрестанное мельканье людей и машин, жадно впитываемое беспокойным взглядом. Мне нравилось слоняться по Пятой авеню, высматривать в толпе женщин с романтической внешностью и воображать: вот сейчас я войду в жизнь той или иной из них, и никто никогда не узнает и не осудит. Иногда я мысленно провожал их домой, на угол какой-нибудь таинственной улочки, и, прежде чем нырнуть в теплую темень за дверью, они оглядывались и улыбались мне в ответ на мою улыбку. А бывало, что в колдовских сумерках столицы меня вдруг охватывала тоска одиночества, и эту же тоску я угадывал в других — в бедных молодых клерках, топтавшихся у витрин, чтобы как-нибудь убить время до неуютного холостяцкого обеда в ресторане, — молодых людях, здесь, в этой полумгле, растрачивавших впустую лучшие мгновения вечера и жизни.

И позже, в восемь часов, когда в узких проездах сороковых улиц, района театров, бурлил сплошной поток фыркающих машин, тоска снова сжимала мне сердце. Неясные тени склонялись друг к другу в такси, нетерпеливо дожидающихся у перекрестка, до меня доносился обрывок песни, смех в ответ на неслышную шутку, огоньки сигарет чертили замысловатые петли в темноте. И мне представлялось, что я тоже спешу куда-то, где ждет веселье, и, разделяя чужую радость, я желал этим людям добра.

На некоторое время я потерял из вида Джордан Бейкер, но в разгар лета мы повстречались снова. Поначалу мне просто нравилось бывать вместе с нею на людях — она была чемпионкой по гольфу, которую все знали, и это льстило моему тщеславию. Потом появилось нечто большее. Не то чтобы я был влюблен, но меня влекло к ней какое-то нежное любопытство. Мне чудилось, что за надменной, скучающей миной скрывается что-то — ведь все напускное чему-то служит прикрытием, и рано или поздно истина узнается. В конце концов я понял, в чем дело. Как-то раз, когда мы с ней были в гостях в одном доме в Уорике, она оставила чужую машину под дождем с откинутым верхом, а потом преспокойно солгала — и тут я вдруг припомнил тот связанный с нею слух, который смутно шевелился у меня в памяти при первой нашей встрече у Дэзи. На первом большом состязании в гольф, в котором она участвовала, случилась история, едва не попавшая в газеты: ее обвинили, будто в полуфинале она сдвинула свой мяч, попавший в невыгодную позицию. Дошло чуть ли не до открытого скандала — однако все утряслось. Мальчик, носивший клюшки, отказался от своего заявления, единственный другой свидетель признал, что мог и ошибиться. Но весь инцидент застрял в моей памяти вместе с полузабытым именем.

Джордан Бейкер инстинктивно избегала умных, проницательных людей, и теперь мне стало ясно почему — она чувствовала себя уверенней среди тех, кому попросту в голову не могло прийти, что бывают поступки, не вполне согласующиеся с общепринятыми нормами поведения. Она была неисправимо бесчестна. Ей всегда казалась невыносимой мысль, что обстоятельства могут сложиться не в ее пользу, и, должно быть, она с ранних лет приучилась к неблаговидным проделкам, помогавшим ей взирать на мир с этой холодной, дерзкой усмешкой и в то же время потворствовать любой прихоти своего упругого, крепкого тела.

Для меня это ничего не изменило. Бесчестность в женщине — недостаток, который никогда не осуждаешь особенно сурово. Я слегка огорчился, потом перестал об этом думать. Именно тогда, в Уорике, у нас вышел любопытный разговор насчет поведения за рулем. Началось с того, что она промчалась мимо какого-то рабочего так близко, что крылом у него сорвало пуговицу с куртки.

— Вы никуда не годный водитель, — рассердился я. — Не можете быть поосторожней, так не беритесь управлять машиной.

— Я осторожна.

— Как бы не так.

— Ну, другие осторожны, — беспечно заметила она.

— А это тут при чем?

— Они будут уступать мне дорогу. Для столкновения требуются двое.

— А вдруг вам попадется кто-то такой же неосторожный, как вы сами?

— Надеюсь, что не попадется, — сказала она. — Терпеть не могу неосторожных людей. Вот почему мне нравитесь вы.

Ее серые глаза, утомленные солнечным светом, смотрели не на меня, а на дорогу, но что-то намеренно было сдвинуто ею в наших отношениях, и на миг мне показалось, будто чувство, которое она мне внушает, — это любовь. Но я тяжел на подъем и опутан множеством внутренних правил, которые служат тормозом для моих желаний, и я твердо знал, что прежде всего должен выпутаться из того недоразумения дома. Я раз в неделю писал туда письма, подписываясь: «С приветом, Ник», а думая о той, кому они были адресованы, я вспоминал только светлые усики пота, выступавшие над ее верхней губой, когда она играла в теннис. Но все же какие-то неопределенные узы соединяли нас, и нужно было тактично разомкнуть их — без этого я не мог считать себя свободным.

Каждый человек склонен подозревать за собой хотя бы одну фундаментальную добродетель; я, например, считаю себя одним из немногих честных людей, которые мне известны.

Глава IV

По воскресеньям с утра, когда в церквах прибрежных поселков еще шел колокольный перезвон, весь большой и средний свет съезжался к Гэтсби и веселым роем заполнял его усадьбу.

— Он бутлегер, — шептались дамы, попивая его коктейли и нюхая его цветы. — Он племянник фон Гинденбурга и троюродный брат дьявола, и он убил человека, который об этом проведал. Сорви мне розу, душенька, и налей, кстати, еще глоточек вон в тот хрустальный бокал.

Я как-то стал записывать на полях железнодорожного расписания имена гостей, бывавших у Гэтсби в то лето. На расписании стоит штамп «Вводится с 5 июля 1922 года», оно давно устарело, и бумага потерлась на сгибах. Но выцветшие записи еще можно разобрать, и по ним легче, чем по моим банальным суждениям, представить себе то общество, которое пользовалось гостеприимством Гэтсби, любезно платя хозяину тем, что ровным счетом ничего о нем не знало.

Из Ист-Эгга приезжали Честер-Беккеры, и Личи, и некто Бунзен, мой университетский знакомый, и доктор Уэбстер Сивет, тот самый, что прошлым летом утонул в штате Мэн. И Хорнбимы, и Уилли Вольтер с женой, и целый клан Блэкбеков, которые всегда сбивались где-нибудь в кучу и по-козлиному мотали головой, стоило постороннему подойти близко. Потом еще Исмэи, и чета Кристи, точней, Губерт Ауэрбах с супругой мистера Кристи, и Эдгар Бивер, о котором рассказывают, что он поседел как лунь за один вечер и, главное, ни с того ни с сего.

Кларенс Эндайв, помнится, тоже был из Ист-Эгга. Его я видел только раз, он явился в белых фланелевых бриджах и затеял драку в саду с проходимцем по фамилии Этти. С дальнего конца острова приезжали Чидлзы и Р.-П. Шредеры, Стонуолл Джексон Эбрэмс из Джорджии, и Фишгард, и Рипли Снелл, все с женами. Снелл был там за три дня до того, как его посадили в тюрьму, и так напился, что валялся пьяный на подъездной аллее, и автомобиль миссис Юлиссис Суэтт переехал ему правую руку. Дэнси тоже бывали там всем семейством, и С. В. Уайтбэйт, которому уже тогда было под семьдесят, и Морис А. Флинк, и Хаммерхеды, и Белуга, табачный импортер, и Белугины дочки.

Из Уэст-Эгга являлись Поулы, и Малреди, и Сесил Роубэк, и Сесил Шён, и Гулик, сенатор штата, и Ньютон Оркид, главный заправила компании «Филмз пар экселленс», и Экхост, и Клайд Коген, и Дон С. Шварце (сын), и Артур Мак-Карти — все они что-то такое делали в кино. А потом еще Кэтлины, и Бемберги, и Дж. Арл Мэлдун, брат того Мэлдуна, который впоследствии задушил свою жену. Приезжал известный делец Да Фонтано, и Эд Легро, и Джеймс Б. Феррет (Трухлявый), и Де Джонг с женой, и Эрнест Лилли — эти ездили ради карт, и если Феррет выходил в сад и в одиночку разгуливал по дорожкам, это означало, что он проигрался и что завтра «Ассошиэйтед трэкшн» подскочат в цене.

Некто Клипспрингер гостил так часто и так подолгу, что заслужил прозвище Квартирант — да у него, наверно, и не было другого местожительства. Из театрального мира бывали Гас Уэйз, и Орэйс О'Донаван, и Лестер Майер, и Джордж Даквид, и Фрэнсис Булл. Кроме того, приезжали из Нью-Йорка Кромы, и Бэхиссоны, и Денникеры, и Рассел Бетти, и Корриганы, и Келлехеры, и Дьюары, и Скелли, и С. В. Белчер, и Смерки, и молодые Квинны (они тогда еще не были в разводе), и Генри Л. Пальметто, который потом бросился под поезд метро на станции «Таймс-сквер».

Бенни Мак-Кленаван приезжал в обществе четырех девиц. Девицы не всегда были одни и те же, но все они до такой степени походили одна на другую, что вам неизменно казалось, будто вы их уже видели раньше. Не помню, как их звали, — обычно или Жаклин, или Консуэла, или Глория, или Джун, или Джуди, а фамилии звучали как названия цветов или месяцев года, но иногда при знакомстве называлась фамилия какого-нибудь крупного американского капиталиста, и, если вы проявляли любопытство, вам давали понять, что это дядюшка или кузен.

Припоминаю еще, что видел там Фаустину О'Брайен — один раз, во всяком случае, — и барышень Бедекер, и молодого Бруера, того, которому на войне отстрелили нос, и мистера Олбрексбергера, и мисс Хааг, его невесту, и Ардиту Фиц-Питерс, и мистера П. Джуэтта, возглавлявшего некогда Американский легион, и мисс Клаудию Хип с ее постоянным спутником, о котором рассказывали, что это ее шофер и что он какой-то сиятельный, мы все звали его герцогом, а его имя я позабыл — если вообще знал когда-нибудь.

Все эти люди в то лето бывали у Гэтсби.

Как-то в девять часов утра роскошный лимузин Гэтсби, подпрыгивая на каменистой дороге, подъехал к моему дому, и я услышал победную триоль его клаксона. Это было в конце июля, я уже два раза побывал у Гэтсби в гостях, катался на его гидроплане, ходил купаться на его пляж, следуя его настойчивым приглашениям, но он ко мне еще не заглядывал ни разу.

— Доброе утро, старина. Мы ведь сегодня условились вместе позавтракать в городе, вот я и решил за вами заехать.

Он балансировал, стоя на подножке автомобиля с той удивительной свободой движения, которая так характерна для американцев; должно быть, они обязаны ею отсутствию тяжелого физического труда в юности, и еще больше — неопределенной грации наших нервных, судорожных спортивных игр. У Гэтсби это выражалось в постоянном беспокойстве, нарушавшем обычную сдержанность его манер. Он ни минуты не мог оставаться неподвижным: то нога постукивала о землю, то нетерпеливо сжимался и разжимался кулак.

Он заметил, что я любуюсь его машиной.

— Хороша, а? — Он соскочил, чтобы не заслонять мне. — А вы разве ее не видели раньше?

Я ее видел не раз. Все кругом знали эту машину. Она была цвета густых сливок, вся сверкала никелем, на ее чудовищно вытянутом корпусе там и сям самодовольно круглились отделения для шляп, отделения для закусок, отделения для инструментов, в лабиринте уступами расположенных щитков отражался десяток солнц. Мы уселись словно в зеленый кожаный парник за тройной ряд стекол и покатили в Нью-Йорк.

За этот месяц я встречался с Гэтсби несколько раз и, к моему разочарованию, убедился, что говорить с ним не о чем. Впечатление незаурядной личности, которое он произвел при первом знакомстве, постепенно стерлось, и он стал для меня просто хозяином великолепного ресторана, расположенного по соседству.

И вот теперь эта дурацкая поездка. Еще не доезжая Уэст-Эгга, Гэтсби стал вести себя как-то странно: не договаривал своих безупречно закругленных фраз, в замешательстве похлопывал себя по коленям, обтянутым брюками цвета жженого сахара. И вдруг озадачил меня неожиданным вопросом:

— Что вы обо мне вообще думаете, старина?

Застигнутый врасплох, я пустился было в те уклончивые банальности, которых подобный вопрос достоин. Но он меня тут же прервал:

— Я хочу вам немного рассказать о своей жизни. А то вы можете бог знает что вообразить, наслушавшись разных сплетен.

Значит, для него не были секретом причудливые обвинения, придававшие пикантность разговорам в его гостиных.

— Все, что вы от меня услышите, — святая правда. — Он энергично взмахнул рукой, как бы призывая карающую десницу Провидения быть наготове. — Я родился на Среднем Западе в богатой семье, из которой теперь уже никого нет в живых. Вырос я в Америке, но потом уехал учиться в Оксфорд — по семейной традиции. Несколько поколений моих предков учились в Оксфорде.

Он глянул на меня искоса — и я понял, почему Джордан Бейкер заподозрила его во лжи. Слова «учились в Оксфорде» он проговорил как-то наспех, не то глотая, не то давясь, словно знал по опыту, что они даются ему с трудом. И от этой тени сомнения потеряло силу все, что он говорил, и я подумал: а нет ли в его жизни и в самом деле какой-то жутковатой тайны?

— Из какого же вы города? — спросил я как бы между прочим.

— Из Сан-Франциско.

— А-а!

— Все мои родные умерли, и мне досталось большое состояние...

Это прозвучало торжественно-скорбно, будто его и по сю пору одолевали раздумья о безвременно угасшем роде Гэтсби. Я было подумал, уж не разыгрывает ли он меня, но, взглянув на него, отказался от этой мысли.

— И тогда я стал разъезжать по столицам Европы — из Парижа в Венецию, из Венеции в Рим, — ведя жизнь молодого раджи: коллекционировал драгоценные камни, главным образом рубины, охотился на крупную дичь, немножко занимался живописью, просто так, для себя, — все старался забыть об одной печальной истории, которая произошла со мной много лет тому назад.

Мне стоило усилия сдержать недоверчивый смешок. Весь этот обветшалый лексикон вызывал у меня представление не о живом человеке, а о тряпичной кукле в тюрбане, которая в Булонском лесу охотится на тигров, усеивая землю опилками, сыплющимися из прорех.

— А потом началась война. Я даже обрадовался ей, старина, я всячески подставлял себя под пули, но меня, словно заколдованного, смерть не брала. Пошел я на фронт старшим лейтенантом. В Аргоннах я с остатками пулеметного батальона вырвался так далеко вперед, что на флангах у нас оказались бреши шириной по полмили, где пехота не могла наступать. Мы там продержались два дня и две ночи, с шестнадцатью «льюисами» на сто тридцать человек, а когда наконец подошли наши, то среди убитых, валявшихся на каждом шагу, они опознали по петлицам солдат из трех немецких дивизий. Я был произведен в майоры и награжден орденами всех союзных держав — даже Черногория, маленькая Черногория с берегов Адриатики, прислала мне орден.

Маленькая Черногория! Он как бы подержал эти слова на ладони и ласково им улыбнулся. Улыбка относилась к беспокойной истории Черногорского королевства и выражала сочувствие мужественному черногорскому народу в его борьбе. Она давала оценку всей цепи политических обстоятельств, одним из звеньев которой был этот дар щедрого сердечка Черногории. Мое недоверие растворилось в восторге, я точно перелистал десяток иллюстрированных журналов.

Гэтсби сунул руку в карман, и мне на ладонь упало что-то металлическое на шелковой ленточке.

— Вот это — от Черногории.

К моему удивлению, орден выглядел как настоящий. По краю было выгравировано: «Orderi de Danilo, Montenegro, Nicolas Rex».

— Посмотрите оборотную сторону.

«Майору Джею Гэтсби, — прочитал я. — За выдающуюся доблесть».

— А вот еще одна вещь, которую я всегда ношу при себе. На память об оксфордских днях. Снято во дворе Тринити-колледжа. Тот, что слева от меня, теперь граф Донкастер.

На фотографии несколько молодых людей в спортивных куртках стояли в непринужденных позах под аркой ворот, за которыми виднелся целый лес шпилей. Я сразу узнал Гэтсби, с крикетной битой в руках; он выглядел моложе, но не намного.

Так, значит, он говорил правду. Мне представились тигровые шкуры, пламенеющие в апартаментах его дворца на Большом канале, представился он сам, склонившийся над ларцом, полным рубинов, чтобы игрой багряных огоньков в их глубине утишить боль своего раненого сердца.

— Я сегодня собираюсь обратиться к вам с одной просьбой, — сказал он, удовлетворенно рассовывая по карманам свои сувениры, — вот я и решил кое-что вам рассказать о себе.

Не хочется, чтобы вы меня бог весть за кого принимали. Понимаете, я привык, что вокруг меня всегда чужие люди, ведь я так и скитаюсь все время с места на место, стараясь забыть ту печальную историю, которая со мной произошла. — Он замялся. — Сегодня вы ее узнаете.

— За завтраком?

— Нет, позже. Я случайно узнал, что вы пригласили мисс Бейкер выпить с вами чаю в «Плаза».

— Уж не хотите ли вы сказать, что влюблены в мисс Бейкер?

— Ну что вы, старина, вовсе нет. Но мисс Бейкер была так любезна, что согласилась поговорить с вами о моем деле.

Я понятия не имел, что это за «дело», но почувствовал скорей досаду, чем любопытство. Вовсе не для того я приглашал Джордан, чтобы беседовать о мистере Джее Гэтсби. Я не сомневался, что его просьба окажется какой-нибудь несусветной чепухой, и на миг даже пожалел о том дне, когда впервые переступил порог его чересчур гостеприимного дома.

Больше он не сказал ни слова. Чем ближе мы подъезжали к городу, тем глубже он замыкался в своей корректности. Мелькнул мимо Порт-Рузвельт с океанскими кораблями в красной опояске — и мы понеслись по булыжной мостовой убогого пригорода, вдоль темных, хоть и не безлюдных, салунов, еще сохранивших на вывесках линялую позолоту девятисотых годов. Потом по обе стороны открылась Долина Шлака, и я успел заметить миссис Уилсон, энергично орудовавшую у бензоколонки.

На распластанных, как у птицы, крыльях, озаряя все кругом, пролетели мы половину Астории — но лишь одну половину: только мы запетляли между опорных свай надземной дороги, я услышал сзади знакомое фырканье мотоцикла, и нас догнал разъяренный полицейский.

— Ничего, ничего, старина, — крикнул Гэтсби.

Мы затормозили. Он вытащил из бумажника какую-то белую карточку и помахал ею перед носом полицейского.

— Все в порядке, — сказал тот, притронувшись пальцами к фуражке. — Теперь буду знать вашу машину, мистер Гэтсби. Прошу извинить.

— Что это вы ему показали? — спросил я. — Оксфордскую фотографию?

— Мне как-то случилось оказать услугу шефу полиции, и с тех пор он мне каждое Рождество присылает поздравительную открытку.

Вот и мост Квинсборо; солнце сквозь переплеты высоких ферм играет рябью бликов на проходящих машинах, а за рекой встает город нагромождением белых сахарных глыб, воздвигнутых чьей-то волей из денег, которые не пахнут. Когда с моста Квинсборо смотришь на город, это всегда так, будто видишь его впервые, будто он впервые безрассудно обещает тебе все тайное и все прекрасное, что только есть в мире.

Проехал мимо покойник на катафалке, заваленном цветами, а следом шли две кареты с задернутыми занавесками и несколько экипажей менее мрачного вида, для друзей и знакомых. У друзей были трагически скорбные глаза и короткая верхняя губа уроженцев юго-востока Европы, и, когда они глядели на нас, я порадовался, что в однообразие этого их унылого воскресенья вплелось великолепное зрелище машины Гэтсби. На Блэквелс-Айленд нам повстречался лимузин, которым правил белый шофер, а сзади сидело трое расфранченных негров, два парня и девица. Меня разобрал смех, когда они выкатили на нас белки с надменно-сопером видом.

«Теперь все может быть, раз уж мы переехали этот мост, — подумал я. — Все, что угодно...»

Даже Гэтсби мог быть, никого особенно не удивляя.

День на точке кипения. Мы условились встретиться и позавтракать в подвальчике на Сорок второй улице, славившемся хорошей вентиляцией. Подслеповато моргая после яркого солнечного света, я наконец увидел Гэтсби — он стоял и разговаривал с кем-то в вестибюле.

— Мистер Карраунэй, познакомьтесь, пожалуйста, — мой друг мистер Вулфшим.

Небольшого роста еврей с приплюснутым носом поднял голову и уставился на меня двумя пучками волос, пышно распустившимися у него в каждой ноздре. Чуть позже я разглядел в полутьме и пару узеньких глазок.

— ...Я только раз на него посмотрел, — сказал Вулфшим, горячо пожимая мне руку, — и как бы вы думали, что я сделал?

— Что? — вежливо поинтересовался я.

Но, по-видимому, вопрос был адресован не мне, так как он тут же отпустил мою руку и направил свой выразительный нос на Гэтсби.

— Передал деньги Кэтспо и сказал: «Кэтспо, пока он не замолчит, не платите ему ни цента». И он сразу же прикусил язык.

Гэтсби взял нас обоих под руки и увлек в ресторанный зал. Мистер Вулфшим проглотил следующую фразу, после чего впал в состояние сомнамбулической отрешенности.

— С содовой и льдом? — осведомился метрдотель.

— Приятное заведение, — сказал мистер Вулфшим, рассматривая пресвитерианских нимф на потолке. — Но я лично предпочитаю то, что через дорогу.

— Да, с содовой и льдом, — кивнул Гэтсби, а затем возразил Вулфшиму: — Там очень душно, через дорогу.

— Душно и тесновато, согласен, — сказал мистер Вулфшим. — Но зато сколько воспоминаний.

— А что за ресторан через дорогу? — спросил я.

— Старый «Метрополь».

— Старый «Метрополь», — задумчиво протянул мистер Вулфшим. — Так много лиц, которых больше никогда не увидишь. Так много друзей, которые умерли и не воскреснут. До конца дней своих не забуду ту ночь, когда там застрелили Рози Розенталя. Нас было шестеро за столом, и Рози ел и пил больше всех. Уже под утро подходит к нему официант и говорит: «Вас там спрашивают, в вестибюле». А у самого вид какой-то странный. «Сейчас иду», — говорит Рози и хочет встать, но я ему не даю. «Слушай, — говорю, — Рози, если ты каким-то мерзавцам нужен, пусть они идут сюда, а тебе к ним ходить нечего, и ты не пойдешь, вот тебе мое слово». Был уже пятый час, и, если бы не шторы на окнах, было бы светло без ламп.

— И что же, он пошел? — простодушно спросил я.

— Конечно пошел. — Мистер Вулфшим негодующе сверкнул на меня носом. — В дверях он оглянулся и сказал: «Пусть официант не вздумает уносить мой кофе». И только он ступил на тротуар, ему всадили три пули прямо в набитое брюхо, и машина умчалась.

— Четверых все-таки посадили потом на электрический стул, — сказал я, припомнив эту историю.

— Пятерых, считая Беккера. — Мохнатые ноздри вскинулись на меня с вниманием. — Вы, как я слышал, интересуетесь деловыми кхонтактами?

Я растерялся, ошарашенный таким переходом. За меня ответил Гэтсби.

— Нет, нет! — воскликнул он. — Это не тот.

— Не тот? — Мистер Вулфшим был явно разочарован.

— Это просто мой друг. Я же вам сказал, о том деле разговор будет не сегодня.

— А, ну извините, — сказал мистер Вулфшим. — Я вас принял за другого.

Подали аппетитный гуляш с овощами, и мистер Вулфшим, позабыв о волнующих преимуществах старого «Метрополя», со свирепым гурманством принялся за еду. Но в то же время он цепким, медленным взглядом обводил ресторанный зал — даже, замыкая круг, обернулся и посмотрел на тех, кто сидел сзади. Вероятно, если бы не мое присутствие, он не преминул бы заглянуть и под стол.

— Послушайте, старина, — наклоняясь ко мне, сказал Гэтсби, — вы на меня не рассердились утром, в машине?

Я увидел знакомую уже улыбку, но на этот раз я на нее не поддался.

— Не люблю загадок, — ответил я. — Почему вы не можете просто и откровенно сказать, что вам от меня нужно? Зачем было впутывать мисс Бейкер?

— Да нет, какие же загадки, — запротестовал он. — Во-первых, мисс Бейкер — спортсменка высокого класса, она бы ни за что не согласилась, если бы тут было что не так.

Он вдруг взглянул на часы, сорвался с места и опрометью выбежал вон, оставив меня в обществе мистера Вулфшима.

— У него разговор по телефону, — сказал мистер Вулфшим, проводив его глазами. — Замечательный человек, а? И красавец, и джентльмен с головы до ног.

— Да.

— Он ведь окончил Оксворт.

— Умгм!

— Он окончил Оксвортский университет в Англии. Вы знаете, что такое Оксвортский университет?

— Кое-что слышал.

— Один из самых знаменитых университетов в мире.

— А вы давно знаете Гэтсби? — спросил я.

— Несколько лет, — сказал он горделиво. — Имел удовольствие познакомиться сразу после войны. Стоило побеседовать с ним какой-нибудь час, и мне уже было ясно, что передо мной человек отменного воспитания. «Вот, — сказал я себе, — такого человека приятно пригласить к себе в дом, познакомить со своей матерью и сестрой». — Он помолчал. — Я вижу, вы смотрите на мои запонки.

Я и не думал на них смотреть, но после этих слов посмотрел. Запонки были сделаны из кусочков слоновой кости неправильной, но чем-то очень знакомой формы.

— Настоящие человеческие зубы, — с готовностью сообщил он. — Отборные экземпляры.

— В самом деле! — Я присмотрелся поближе. — Оригинальная выдумка.

— Н-да. — Он одернул рукав пиджака. — Н-да, Гэтсби очень щепетилен насчет женщин. На жену друга он даже не взглянет.

Как только объект этого интуитивного доверия вернулся к нашему столику, мистер Вулфшим залпом проглотил кофе и встал.

— Благодарю за приятную компанию, — сказал он. — А теперь побегу, чтобы не злоупотреблять вашим гостеприимством, молодые люди.

— Куда вы, Мейер, посидите, — сказал Гэтсби не слишком настойчиво.

Мистер Вулфшим простер руку, вроде как бы для благословения.

— Вы очень любезны, но мы люди разных поколений, — торжественно изрек он. —

У вас свои разговоры — о спорте, о барышнях, о... — Новый взмах руки заменил недостающее существительное. — А мне уж за пятьдесят, и я не хочу больше стеснять вас своим обществом.

Когда он прощался, а потом шел к выходу, его трагический нос слегка подрагивал. Я подумал: уж не обидел ли я его неосторожным словом?

— На него иногда находит сентиментальность, — сказал Гэтсби. — А вообще он в Нью-Йорке фигура — свой человек на Бродвее.

— Кто он, актер?

— Нет.

— Зубной врач?

— Мейер Вулфшим? Нет, он игрок. — Гэтсби на миг запнулся, потом хладнокровно добавил: — Это он устроил ту штуку с «Уорлд сириз» в тысяча девятьсот девятнадцатом году.

Я остолбенел. Я помнил, конечно, аферу с бейсбольными соревнованиями «Уорлд сириз», но никогда особенно не задумывался об этом, а уж если думал, то как о чем-то само собой разумеющемся, последнем и неизбежном звене какой-то цепи событий. У меня не укладывалось в мыслях, что один человек способен сыграть на доверии пятидесяти миллионов с прямолинейностью грабителя, взламывающего сейф.

— Как он мог сделать такую вещь? — спросил я.

— Использовал случай, вот и все.

— А почему его не посадили?

— Не могли ничего доказать, старина. Мейера Вулфшима голыми руками не возьмешь.

Я настоял на том, чтобы оплатить счет. Принимая сдачу от официанта, я вдруг заметил в другом конце переполненного зала Тома Бьюкенена.

— Мне надо подойти поздороваться со знакомым, — сказал я. — Пойдемте со мной, это одна минута.

Том, завидев нас, вскочил и сделал несколько шагов навстречу.

— Где ты пропадаешь? — воскликнул он. — Хоть бы по телефону позвонил, Дэзи просто в ярости.

— Мистер Гэтсби — мистер Бьюкенен.

Они подали друг другу руки, и у Гэтсби вдруг сделался натянутый, непривычно смущенный вид.

— Как ты вообще живешь? — допытывался Том. — И что тебя занесло в такую даль?

— Мы здесь завтракали с мистером Гэтсби.

Я оглянулся — но мистера Гэтсби и след простыл.

— Как-то раз, в октябре девятьсот семнадцатого года... — рассказывала мне несколько часов спустя Джордан Бейкер, сидя отменно прямо на стуле с прямою спинкой в саду-ресторане при отеле «Плаза» — ...я шла по луисвиллской улице, то и дело сходя с тротуара на газон. Мне больше нравилось шагать по газону, потому что на мне были английские туфли с резиновыми шипами на подошве, которые вдавливались в мягкий грунт. На мне была также новая клетчатая юбка в складку, ветер раздувал ее, и каждый раз, когда это случалось, красно-бело-синие флаги на фасадах вытягивались торчком и неодобрительно цокали.

Самый большой флаг и самый широкий газон были у дома, где жила Дэзи Фэй. Ей тогда было восемнадцать, на два года больше, чем мне, и ни одна девушка во всем Луисвилле не пользовалась таким успехом. Она носила белые платья, у нее был свой маленький белый двухместный автомобиль, и целый день в ее доме звонил телефон, и молодые офицеры из Кэмп-Тэйлор взволнованно домогались чести провести с нею вечер. «Ну хоть один часок!»

В тот день, подходя к ее дому, я увидела, что белый автомобиль стоит у обочины и в нем сидит Дэзи с незнакомым мне лейтенантом. Они были настолько поглощены друг другом, что она меня заметила, только когда я была уже в трех шагах.

— А, Джордан! — неожиданно окликнула она. — Будь добра, подойди сюда на минутку.

Мне крайне польстило, что я могла ей понадобиться, — из всех старших подруг она всегда была для меня самой привлекательной. Она спросила, не в Красный ли Крест я иду щипать корпию. Я сказала, что да. Так, может быть, я передам, чтобы сегодня ее там не ждали? Она говорила, а офицер смотрел на нее особенным взглядом — всякая девушка мечтает, что когда-нибудь на нее будут так смотреть. Мне это показалось очень романтичным, оттого и запомнилось надолго. Звали офицера Джей Гэтсби, и с тех пор я его четыре года в глаза не видала — так что, когда мы встретились на Лонг-Айленде, мне и в голову не пришло, что это тот самый Гэтсби.

Дело было в девятьсот семнадцатом. А на следующий год и у меня уже завелись поклонники, а кроме того, я стала участвовать в спортивных состязаниях, и мы с Дэзи виделись довольно редко. Она развлекалась в другой компании, постарше, — если вообще развлекалась. Ходили о ней какие-то фантастические слухи — будто зимой мать однажды застигла ее, когда она укладывала чемодан, чтобы ехать в Нью-Йорк прощаться с каким-то военным, отправлявшимся за океан. Конечно, ее не пустили, но после этого она несколько недель не разговаривала ни с кем в доме. И больше она никогда не флиртовала с военными, ограничивая свой круг теми молодыми людьми, которые из-за близорукости или плоскостопия были непригодны для службы в армии.

К осени она снова стала прежней Дэзи, веселой и жизнерадостной. Сразу после перемирия состоялся ее первый бал, и в феврале все заговорили о ее помолвке с одним приезжим из Нового Орлеана. А в июне она вышла замуж за Тома Бьюкенена из Чикаго, и свадьба была отпразднована с размахом и помпой, каких не помнит Луисвилл. Жених прибыл с сотней гостей в четырех отдельных вагонах, снял целый этаж в отеле «Мюльбах» и накануне свадьбы преподнес невесте жемчужное колье стоимостью в триста пятьдесят тысяч долларов.

Я была подружкой невесты. За полчаса до свадебного обеда я вошла к ней в комнату и вижу — она лежит на постели в своем затканном цветами платье, хороша, как июньский вечер, — и пьяна как сапожник. В одной руке у нее бутылка сотерна, а в другой какое-то письмо.

— Поз-поздравь меня, — бормочет. — Напилась первый раз в жизни, и до чего ж, ах, до чего ж хорошо!

— Дэзи, что случилось?

Сказать по правде, я испугалась: мне никогда не приходилось видеть девушку в таком состоянии.

— Вот, п-пожалуйста. — Она порылась в корзинке для мусора, стоявшей тут же на постели, и вытащила оттуда жемчужное колье. — Отнеси это вниз и отдай кому следует. И скажи, что Дэзи пер-реду-мала. Так и скажи им всем: «Дэзи пер-редумала».

И в слезы — плачет, просто рыдает. Я бросилась вон из комнаты, разыскала горничную ее матери, мы заперли дверь и втолкнули Дэзи в ванну с холодной водой. Она ни за что не хотела выпустить из рук письмо. Так и сидела с ним в ванне, сжав его в мокрый комок, и только тогда позволила мне положить его в мыльницу, когда увидела, что оно расползается хлопьями, точно снег.

Но ни одного слова она больше не вымолвила. Мы дали ей понюхать нашатырного спирту, положили лед на голову, а потом снова натянули на нее платье, и, когда полчаса спустя она вместе со мною спустилась вниз, жемчужное колье красовалось у нее на шее, и инцидент был исчерпан. А назавтра, в пять часов дня, она не моргнув глазом обвенчалась с Томом Бьюкененом и уехала в свадебное путешествие по южным морям.

Я встретила их в Санта-Барбаре, уже на обратном пути, и даже удивилась — как можно быть до такой степени влюбленной в собственного мужа? Стоило ему на минуту выйти из комнаты, она уже беспокойно озиралась и спрашивала: «Где Том?» — и была сама не своя, пока он не появлялся на пороге. Она часами просиживала на пляже, положив его голову к себе на колени, и гладила ему пальцами веки и, казалось, не могла на него налюбоваться. Это было в августе. А через неделю после моего отъезда из Санта-Барбары Том ночью на Вентурской дороге врезался в автофургон, и переднее колесо его машины оторвало напрочь. В газеты попала и девица, с которой он ехал, потому что у нее оказалась сломанной рука, — это была горничная из отеля в Санта-Барбаре.

В апреле у Дэзи родилась дочка, и они на год уехали во Францию. Я встречала их время от времени — то в Каннах, то в Довиле, а потом они вернулись домой и обосновались в Чикаго. Дэзи, как вы помните, знали и любили в Чикаго. Народ вокруг них толокся самый беспутный — все богатая молодежь, шалопаи и кутилы; но Дэзи ухитрилась сохранить совершенно безупречную репутацию. Может быть, благодаря тому, что она не пьет. Это большое преимущество — быть трезвой, когда все кругом пьяны. Не наговоришь лишнего, а главное, если вздумается что-нибудь себе позволить, сумеешь выбрать время, когда никто уже ничего не замечает или всем наплевать. А может быть, Дэзи не интересовали романы, — хотя есть у нее в голосе что-то такое...

И вот месяца полтора тому назад она вдруг услышала фамилию Гэтсби — впервые за все эти годы. Помните, когда вы упомянули, что живете в Уэст-Эгге, я спросила, не знаете ли вы там Гэтсби? Не успели вы тогда уехать домой, она поднялась ко мне в комнату, разбудила меня и спросила: «Как он выглядит, этот

Гэтсби?» И когда я спросонок кое-как его описала, она сказала каким-то странным, не своим голосом, что, должно быть, это тот самый, с которым она была знакома когда-то. Тут только я вспомнила офицера в ее белом автомобиле и связала концы с концами.

Когда Джордан Бейкер досказывала мне эту историю, мы уже давно успели уйти из «Плаза» и в открытой машине ехали по аллеям Центрального парка. Солнце уже скрылось за высокими обиталищами кинозвезд на пятидесятых улицах западной стороны, и в душных сумерках звенели ясные голоса детей, выводивших, точно сверчки на траве, свою песенку:

Я арабский шейх,
Люблю тебя больше всех.
Я примчусь к тебе во сне
На быстроногом скакуне.

— Странное совпадение, — сказал я.

— А это вовсе не совпадение.

— То есть как?

— Гэтсби нарочно купил этот дом, так как знал, что Дэзи живет недалеко, по ту сторону бухты.

Значит, не только звезды притягивали его взгляд в тот июньский вечер. Он вдруг словно ожил передо мной, вылупившись из скорлупы своего бесцельного великолепия.

— Вот он и хотел вас просить, — продолжала Джордан, — может быть, вы как-нибудь позовете Дэзи в гости и позволите ему тоже зайти на часок.

Я был потрясен скромностью этой просьбы. Он ждал пять лет, купил виллу, на сказочный блеск которой слетались тучи случайной мошкары, — и все только ради того, чтобы иметь возможность как-нибудь «зайти на часок» в чужой дом.

— Неужели, чтобы обратиться с такой пустячной просьбой, нужно было посвящать меня во все это?

— Он робеет, ведь он так долго ждал. Думал, вдруг вы обидитесь. Ведь он, в сущности, порядочный дикарь, если заглянуть поглубже.

Что-то мне тут казалось не так.

— Не проще ли было попросить вас устроить эту встречу?

— Ему хочется, чтобы она увидела его дом, — пояснила Джордан. — А вы живете рядом.

— А-а!

— По-моему, он все ждал, что в один прекрасный вечер она вдруг появится у него в гостиной, — продолжала Джордан. — Но так и не дождался. Тогда он стал, как бы между прочим, заводить с людьми разговоры о ней, в надежде найти общих знакомых, и первой оказалась я. Вот он и обратился ко мне — помните, в тот вечер, когда мы с вами встретились у него на вилле. Послушали бы вы, как он бродил вокруг да около, пока добрался до сути дела. Я, конечно, сразу же предложила завтрак в Нью-Йорке — так он словно взбеленился. «Я не хочу никаких недозволенных встреч! — твердит. — Я хочу просто увидеться с ней в гостях у соседа».

— Когда я сказала, что вы с Томом приятели, он уже готов был отказаться от этой затеи. Он мало что знает о Томе, хотя говорит, что несколько лет просматривал каждый день чикагские газеты — все искал какого-нибудь упоминания о Дэзи.

Уже стемнело, и, когда мы нырнули под небольшой пешеходный мостик, я обхватил рукой золотистые плечи Джордан, слегка притянул ее к себе и предложил поужинать вместе. И Дэзи, и Гэтсби вдруг перестали меня интересовать; их место заняла эта безмятежная и решительная узколобая проповедница всеобщего скептицизма, небрежно откинувшаяся на сгиб моей руки. В ушах у меня с каким-то хмельным азартом зазвучала фраза: «Ты или охотник, или дичь, или действуешь, или устало плетешься сзади».

— А Дэзи бы нужно хоть что-то иметь в жизни, — вполголоса сказала Джордан.

— Сама-то она хочет увидеться с Гэтсби?

— Она ничего не знает. Гэтсби не хочет, чтобы она знала. Вы просто пригласите ее к себе на чашку чая.

Мы миновали заслон из темных деревьев, и вот уже за парком мягко и нежно высветились фасады Пятьдесят девятой улицы. У меня, не в пример Гэтсби и Тому Бьюкенену, не было женщины, чей бестелесный образ реял бы передо мной среди темных карнизов и слепящих огней рекламы, поэтому я крепче сжал в объятиях ту, что сидела рядом. Бледный презрительный рот улыбнулся мне, и, сжимая ее все сильней, я потянулся к ее губам.

Глава V

Когда я в ту ночь возвратился в Уэст-Эгг из Нью-Йорка, я было испугался, что у меня в доме пожар. Два часа ночи, а вся оконечность мыса ярко освещена, кусты выступают из мглы, точно призраки, на телеграфных проводах играют длинные блики света. Но такси свернуло за угол, и я увидел, что это вилла Гэтсби сияет всеми огнями от башен до погребов.

Сперва я решил, что происходит очередное сборище и разгулявшиеся гости, затеяв игру в прятки или в «море волнуется», распространились по всем этажам. Но уж очень тихо было кругом. Только ветер гудел в проводах, и огни то меркли, то снова вспыхивали, как будто дом подмигивал ночи.

Такси с кряхтеньем отъехало от моего крыльца, и тут я увидел Гэтсби, который быстро шел по газону, направляясь ко мне.

— Ваш дом выглядит как павильон Всемирной выставки, — сказал я ему.

— В самом деле? — Он рассеянно оглянулся. — Мне вздумалось пройтись по комнатам.

Знаете что, старина, давайте прокатимся на Кони-Айленд. В моей машине.

— Поздно уже.

— Тогда, может, поплаваем в бассейне? Я за все лето ни разу не искупался.

— Мне пора спать.

— Ну, как хотите.

Он ждал, глядя на меня с плохо скрытым нетерпением.

— Мисс Бейкер говорила со мной, — сказал я наконец. — Завтра я позвоню Дэзи и приглашу ее на чашку чая.

— А, очень мило, — сказал он небрежно. — Только мне не хотелось бы причинять вам беспокойство.

— В какой день вам удобно?

— В какой день удобно *вам*, — поспешил он поправить. — Я, право же, не хотел бы причинять вам беспокойство.

— Ну, скажем, послезавтра? Подойдет?

Он с минуту раздумывал. Потом неуверенно заметил:

— Надо бы подстричь газон.

Мы оба посмотрели туда, где четко обозначалась граница моего участка, заросшего лохматой травой, а дальше темнела ухоженная гладь его владений. Я заподозрил, что речь идет о моем газоне.

— И потом, еще кое-что... — Он запнулся в нерешительности.

— Так, может быть, отложим на несколько дней?

— Да нет, я не о том. То есть... — Он стал мямлить в поисках подходящего начала. — Видите ли, мне пришло в голову... Дело в том, что... Вы ведь, кажется, не много зарабатываете, старина?

— Совсем немного.

Мой ответ словно придал ему духу, и он продолжал более доверительным тоном:

— Я так и думал. Вы уж извините, если я... Видите ли, я тут затеял кое-что — так, между делом, понимаете. И вот мне пришло в голову, поскольку вы зарабатываете не очень много... Вы ведь занимаетесь реализацией ценных бумаг, верно?

— Пытаюсь, во всяком случае.

— Так для вас это может представить интерес. Много времени не займет, а заработать можно неплохо. Но понимаете, дело в некотором роде конфиденциальное.

Теперь я хорошо понимаю, что при других обстоятельствах этот разговор мог бы всю мою жизнь повернуть по-иному. Но предложение так явно и так бестактно было сделано в благодарность за услугу, что мне оставалось только одно — отказаться.

— К сожалению, не смогу, — сказал я. — У меня решительно нет времени на дополнительную работу.

— Вам не придется иметь дело с Вулфшимом. — Он, видно, решил, что меня смущают перспективы «кхонтактов», о которых шла речь за завтраком, но я заверил его, что он ошибается.

Он еще постоял, надеясь, что завяжется разговор; однако я, занятый своими мыслями, не расположен был разговаривать, и он неохотно побрел домой.

Голова у меня приятно кружилась после вечера в Нью-Йорке, и я, кажется, прямо с порога шагнул в глубокий сон. Поэтому я так и не знаю, ездил ли Гэтсби на Кони-Айленд или, может быть, до рассвета «прохаживался по комнатам», озаряя округу праздничным сияньем огней. Утром я из конторы позвонил Дэзи и предложил ей завтра навестить меня в Уэст-Эгге.

— Только приезжай без Тома, — предупредил я.

— Что?

— Приезжай без Тома.

— А кто такой Том? — невинно спросила она.

На следующий день с утра зарядил проливной дождь. В одиннадцать часов ко мне постучался человек с газонокосилкой, одетый в прорезиненный плащ, и сообщил, что прислан мистером Гэтсби подстричь у меня газон. Тут только я спохватился, что ни о чем не предупредил свою финку; пришлось сесть в машину и ехать разыскивать ее среди нахохлившихся от дождя белых домиков поселка — а заодно купить несколько чашек, лимоны и цветы.

Цветов, впрочем, можно было и не покупать: в два часа от Гэтсби была доставлена целая оранжерея вместе с комплектом сосудов для ее размещения. Спустя еще час дверь стремительно распахнулась и влетел сам Гэтсби в белом фланелевом костюме, серебристой сорочке и золотистом галстуке. Он был бледен, под глазами темнели следы бессонной ночи.

— Ну как, все в порядке? — с ходу спросил он.

— Если вы о траве, так трава просто загляденье.

— Какая трава? — растерянно спросил он. — Ах, газон! — Он посмотрел в окно, но, судя по выражению его лица, вряд ли что-нибудь увидел.

— Да, газон хорош, — похвалил он рассеянно. — В какой-то газете писали, что к четырем часам дождь прекратится. Кажется, в «Джорнал». А у вас есть все для... ну, для чая?

Я повел его в кухню, где он несколько укоризненно покосился на мою финку. Потом мы вдвоем придирчиво осмотрели десяток лимонных пирожных, купленных мною в кондитерской.

— Как, ничего, по-вашему? — осведомился я.

— Да, да! Очень хорошо... — сказал он и несколько принужденно добавил: — Старина...

К половине четвертого дождь превратился в туман, сырой и холодный, в котором, точно роса, плавали тяжелые, редкие капли. Гэтсби невидящим взглядом скользил по страницам «Экономики» Клэя, вздрагивал, когда тяжелая финская поступь сотрясала половицы в кухне, и время от времени напряженно всматривался в мутные от дождя окна, словно там, за ними, разыгрывались незримо какие-то тревожные события. Вдруг он встал и не совсем твердым голосом объявил мне, что уходит домой.

— Это почему же?

— Никто уже не приедет. Поздно! — Он взглянул на часы с видом человека, которого неотложные дела призывают в другое место. — Не могу же я дожидаться тут весь день.

— Не дурите. Еще только без двух минут четыре.

Он снова сел, глядя так жалобно, как будто я его толкнул в кресло, и в ту же минуту послышался шум подъезжающего автомобиля. Мы оба вскочили; сам слегка взбудораженный, я вышел на крыльцо.

Между сиреневых кустов с поникшей мокрой листвой к дому приближалась большая открытая машина. Она остановилась. Из-под сдвинутой набок треугольной шляпы цвета лаванды выглянуло лицо Дэзи, сияющее радостной улыбкой.

— Так вот твое гнездышко, птенчик мой!

Журчание ее голоса влилось в шум дождя, как бодрящий эликсир. Я сперва вобрал слухом только мелодию фразы, ее движение вверх и вниз — потом уже до меня дошли слова. Мокрая прядка волос лежала у нее на щеке, точно мазок синей краски, капли дождя блестели на руке, которой она оперлась на меня, выходя из машины.

— Уж не влюбился ли ты в меня? — шепнула она мне на ухо. — Почему я непременно должна была приехать одна?

— Это тайна замка Рэкрент. Отправь своего шофера на час куда-нибудь.

— Ферди, вернетесь за мной через час. — И мне вполголоса как нечто очень важное: — Его зовут Ферди.

— А у него не делается насморк от бензина?

— Кажется, нет, — простодушно ответила она. — А что?

Мы вошли в дом. К моему невероятному удивлению, гостиная была пуста.

— Что за черт! — воскликнул я.

— О чем это ты?

И тут же она оглянулась: кто-то негромко, с достоинством стучался в парадную дверь. Я пошел отворить. Гэтсби, бледный как смерть, руки точно свинцовые гири в карманах пиджака, стоял в луже у порога и смотрел на меня трагическими глазами.

Не вынимая рук из карманов, он прошагал за мной в холл, круто повернулся, словно марионетка на ниточке, и исчез в гостиной. Все это было вовсе не смешно. С бьющимся сердцем я вернулся к парадной двери и закрыл ее поплотнее.

Шум усилившегося дождя остался за дверью. С минуту стояла полная тишина. Потом из гостиной донеслось какое-то сдавленное бормотанье, обрывок смеха, и тотчас же неестественно высоко и звонко прозвучал голос Дэзи:

— Мне, право, очень приятно, что мы встретились снова.

Опять пауза, затянувшаяся до невозможности. Торчать без дела в холле было глупо, и я вошел в комнату.

Гэтсби, по-прежнему держа руки в карманах, стоял у камина, мучительно стараясь придать себе непринужденный и даже скучающий вид. Голова у него была так сильно откинута назад, что почти упиралась в циферблат давно отживших свой век часов на каминной полке, и с этой позиции он взглядом безумца смотрел на Дэзи, которая сидела на краешке жесткого стула, немного испуганная, но изящная, как всегда.

— Мы старые знакомые, — пролепетал Гэтсби.

Он глянул на меня и пошевелил губами, пытаясь улыбнуться, но улыбка не вышла. По счастью, часы на полке, которые он задел головой, сочли за благо в эту минуту угрожающе накрениться; Гэтсби обернулся, дрожащими руками поймал их и установил на место. После этого он сел в кресло и, облокотившись на ручку, подпер подбородок ладонью.

— Простите, что так получилось с часами, — сказал он.

Лицо у меня горело, словно от тропической жары. В голове вертелась тысяча банальностей, но я никак не мог ухватить хоть одну.

— Это очень старые часы, — идиотски заметил я.

Кажется, мы все трое искренне считали тогда, что часы лежат на полу, разбитые вдребезги.

— А давно мы с вами не виделись, — произнесла Дэзи безукоризненно светским тоном.

— В ноябре будет пять лет.

Автоматичность ответа Гэтсби застопорила разговор по крайней мере еще на минуту. С отчаяния я предложил пойти всем вместе на кухню готовить чай, и они сразу же встали, — но тут вошла распроклятая финка с чаем на подносе.

Началась спасительная суета с передачей друг другу чашек и пирожных, и атмосфера несколько разрядилась, хотя бы по видимости. Мы с Дэзи мирно болтали о том о сем, а Гэтсби, забившись в угол потемнее, следил за нами обоими напряженным, тоскливым взглядом. Однако я не считал мир и спокойствие самоцелью, а потому при первом удобном случае встал и просил позволения ненадолго отлучиться.

— Куда вы? — сразу же испугался Гэтсби.

— Я скоро вернусь.

— Погодите, мне нужно сказать вам два слова.

Он выскочил за мной на кухню, затворил дверь и горестно простонал: «Боже мой, боже мой!»

— Что с вами?

— Это была ужасная ошибка, — сказал он, мотая головой из стороны в сторону. — Ужасная, ужасная ошибка.

— Пустяки, вы просто немного смутились, — сказал я и, к счастью, догадался прибавить: — И Дэзи тоже смутилась.

— Она смутилась? — недоверчиво повторил он.

— Не меньше вашего.

— Тише, не говорите так громко.

— Вы себя ведете как мальчишка, — не выдержал я. — И притом невоспитанный мальчишка. Ушли и оставили ее одну.

Он предостерегающе поднял руку, посмотрел на меня с выражением укора, которое мне запомнилось надолго, и, осторожно отворив дверь, вернулся в гостиную.

Я вышел с черного хода — как Гэтсби полчаса тому назад, когда волнение погнало его вокруг дома, — и побежал к большому черному узловатому дереву с густой листвой, под которой можно было укрыться от дождя. Дождь к этому времени снова припустил вовсю, и мой кочковатый газон, так тщательно выбритый садовником Гэтсби, превратился в сеть мелких болот и доисторических топей. Из-под дерева открывался один-единственный вид — огромный домина Гэтсби; вот я целых полчаса и глазел на него, как Кант на свою колокольню. Он был возведен для какого-то богатого пивовара лет десять назад, когда только еще начиналось увлечение «стильной» архитектурой, и рассказывали, будто пивовар предлагал соседям пять лет платить за них все налоги, если они покроют свои дома соломой. Возможно, полученный отказ в корне подсек его замысел основать тут Родовое Гнездо — с горя он быстро зачах. Его дети продали дом, когда на дверях висел еще траурный венок. Американцы легко, даже охотно соглашаются быть рабами, но упорно никогда не желали признать себя крестьянами.

...Полчаса спустя солнце выглянуло из-за туч, и на подъездной аллее у дома Гэтсби показался автофургон с провизией для слуг — хозяин, я был уверен, и куска не проглотил бы. В верхнем этаже горничная стала открывать окна. Она поочередно показывалась в каждом из них, а дойдя до большого фонаря в центре, высунулась наружу и задумчиво сплюнула в сад. Пора было возвращаться. Пока вокруг шумел дождь, я как будто слышал в гостиной их голоса, то ровные, то вдруг повышающиеся в порыве волнения. Но сейчас, когда все стихло, мне казалось, что и там тоже наступила тишина.

Прежде чем войти, я, сколько мог, нашумел в кухне, только что не опрокинул плиту, — но они, наверно, и не слышали ничего. Они сидели в разных углах дивана и смотрели друг на друга так, словно лишь сейчас или вот-вот должен был прозвучать какой-то вопрос. От первоначальной скованности не осталось и следа. У Дэзи лицо было мокрое от слез, и, когда я вошел, она вскочила и бросилась вытирать его перед зеркалом. Но что меня поразило, так это перемена, происшедшая в Гэтсби. Его лицо в буквальном смысле сияло; он всем своим существом излучал несвойственный ему блаженный покой, наполняя им мою маленькую гостиную.

— Ах, это вы, старина! — сказал он, как будто мы впервые увиделись после долголетней разлуки. Мне даже показалось, что он хочет поздороваться со мной за руку.

— Дождь перестал.

— Неужели? — Когда смысл моих слов дошел до него, когда он увидел, что по комнате прыгают солнечные зайчики, он радостно улыбнулся, как метеоролог, как ревностный поборник вечной победы света над тьмой, и поспешил сообщить новость Дэзи: — Что вы на это скажете? Дождь перестал.

— Ну, как хорошо, Джей. — Боль и тоска захлебнулись в ее мелодичном голосе, и в нем прозвучало только радостное удивление.

— Пойдемте сейчас все ко мне, — предложил Гэтсби. — Мне хочется показать Дэзи мой дом.

— А может, вы лучше пойдете одни, без меня?

— Нет-нет, старина, непременно с вами.

Дэзи пошла наверх умыть лицо — я с запоздалым раскаянием подумал о своих полотенцах, — а мы с Гэтсби ожидали ее, выйдя в сад.

— А хорош отсюда мой дом, правда? — сказал он мне. — Посмотрите, как весь фасад освещен солнцем.

Я согласился, что дом великолепен.

— Да... — Неотрывным взглядом он ощупывал каждый стрельчатый проем, каждую квадратную башенку. — Мне понадобилось целых три года, чтобы заработать деньги, которые ушли на этот дом.

— Я считал, что ваше состояние досталось вам по наследству.

— Да, конечно, старина, — рассеянно ответил он, — но я почти все потерял во время паники, связанной с войной.

Должно быть, он думал в это время о чем-то другом, потому что, когда я спросил его, чем, собственно, он занимается, он ответил: «Это мое дело» — и только потом спохватился, что ответ был не очень вежливый.

— О, я много чем занимался эти годы, — поспешил он поправиться. — Одно время —

медикаментами, потом — нефтью. Сейчас, впрочем, не занимаюсь ни тем ни другим. — Он посмотрел на меня более внимательно. — А что, вы, может быть, передумали насчет моего позавчерашнего предложения?

Ответить я не успел — из дома вышла Дэзи, сверкая на солнце двумя рядами металлических пуговиц, украшавших ее платье.

— Как, неужели *это* — ваш дом? — вскричала она, указывая пальцем на виллу.

— Вам он нравится?

— Очень нравится, но только как вы там живете совсем один?

— А у меня день и ночь полно гостей. Ко мне приезжают очень интересные люди. Известные люди, знаменитости.

Мы не пошли коротким путем вдоль пролива, а отправились в обход по шоссе и вошли через главные ворота. Дэзи восторженно ворковала, любуясь феодальным силуэтом, который с разных сторон по-разному вырисовывался на фоне неба, восхищалась искристым ароматом нарциссов, пенным благоуханием боярышника и сливы, бледно-золотым запахом жимолости. Было странно не видеть кутерьмы разноцветных платьев на мраморных ступенях и не слышать никаких других звуков, кроме гомона птиц на деревьях.

И потом, когда мы бродили по музыкальным салонам Marie Antoinette и гостиным в стиле Реставрации, мне показалось, что за всеми диванами и под всеми столами прячутся гости, получившие строгий наказ — не пикнуть, пока мы не пройдем мимо. А выходя из готической библиотеки, я мог бы поклясться, что, как только за нами закрылась дверь, я услышал зловещий хохот очкастого Филина.

Мы поднялись и наверх, прошли по стильным спальням, убранным свежими цветами, пестревшими на фоне голубого и розового шелка, по гардеробным и туалетным со вделанными в пол ваннами — и в одной комнате натолкнулись на растрепанного мужчину в пижаме, который, лежа на ковре, делал гимнастические упражнения для печени. Это был мистер Клипспрингер. Квартирант. Утром я видел, как он с голодным видом слонялся по пляжу. Закончился наш обход в личных апартаментах Гэтсби, состоявших из спальни, ванной и кабинета в стиле Роберта Адама; здесь мы сели и выпили по рюмке шартреза, который Гэтсби достал из потайного шкафчика в стене.

Все это время он пристально следил за Дэзи и, мне кажется, заново оценивал каждую вещь в зависимости от того, какое выражение появлялось при взгляде на эту вещь в любимых глазах. А иногда он вдруг озирался по сторонам с таким растерянным видом, как будто перед ошеломляющим фактом ее присутствия все вещи вообще утратили реальность. Один раз он споткнулся и чуть было не упал с лестницы.

Его спальня была скромнее и проще всех — если не считать туалетного прибора матового золота. Дэзи с наслаждением взяла в руки щетку и стала приглаживать волосы, а Гэтсби сел в кресло, прикрыл глаза рукой и тихо засмеялся.

— Странное дело, старина, — сказал он весело. — Никак не могу... Сколько ни стараюсь.

Он, как видно, прошел через две стадии и теперь вступил в третью. После замешательства, после нерассуждающей радости настала очередь сокрушительного изумления от того, что она здесь. Он так долго об этом мечтал, так подробно все пережил в мыслях, столько времени ждал, словно бы стиснув зубы в неимоверном, предельном напряжении. И теперь в нем отказала пружина, как в часах, у которых перекрутили завод.

Через минуту, овладев собой, он распахнул перед нами два огромных шкафа, в которых висели его бесчисленные костюмы, халаты, галстуки, а на полках высились штабеля уложенных дюжинами сорочек.

— У меня в Англии есть человек, который мне закупает одежду и белье. Весной и осенью я получаю оттуда все, что нужно к сезону.

Он вытащил стопку сорочек и стал метать их перед нами одну за другой; сорочки плотного шелка, льняного полотна, тончайшей фланели, развертываясь на лету, заваливали стол многоцветным хаосом. Видя наше восхищение, он схватил новую стопку, и пышный ворох на столе стал еще разрастаться — сорочки в клетку, в полоску, в крапинку, цвета лаванды, коралловые, салатные, нежно-оранжевые, с монограммами, вышитыми темно-синим шелком. У Дэзи вдруг вырвался сдавленный стон, и, уронив голову на сорочки, она разрыдалась.

— Такие красивые сорочки, — плакала она, и мягкие складки ткани глушили ее голос. — Мне так грустно, ведь я никогда... никогда не видала таких красивых сорочек.

После дома нам предстояло осмотреть еще сад, бассейн для плавания, гидроплан и цветники — но тем временем опять полил дождь, и, стоя все втроем у окна, мы глядели на рифленую воду пролива.

— В ясную погоду отсюда видна ваша вилла на той стороне бухты, — сказал Гэтсби. — У вас там на причале всю ночь светится зеленый огонек.

Дэзи порывисто взяла его под руку, но он, казалось, был весь поглощен додумыванием сказанного. Может быть, его вдруг поразила мысль, что зеленый огонек теперь навсегда утратил для него свое колоссальное значение. Раньше, когда Дэзи была так невероятно далеко, ему чудилось, что этот огонек горит где-то совсем рядом с ней, чуть ли не касается ее. Он смотрел на него, как на звездочку, мерцающую в соседстве с луной. Теперь это был просто зеленый фонарь на причале. Одним талисманом стало меньше.

Я принялся расхаживать по комнате, останавливаясь перед разными предметами, привлекавшими мое внимание в полутьме. На глаза мне попалась увеличенная фотография пожилого мужчины в фуражке яхтсмена, висевшая над письменным столом.

— Кто это?

— Это? Мистер Дэн Коди, старина.

Имя мне показалось смутно знакомым.

— Его уже нет в живых. Когда-то это был мой лучший друг.

На столе стояла карточка самого Гэтсби, снятая, видно, когда ему было лет восемнадцать, — тоже в фуражке яхтсмена на задорно вскинутой голове.

— Какая прелесть! — воскликнула Дэзи. — Этот чуб! Вы мне никогда не рассказывали, что носили чуб. И про яхту тоже не рассказывали.

— А вот посмотрите сюда, — торопливо сказал Гэтсби. — Видите эту пачку газетных вырезок — все про вас.

Они стояли рядом, перелистывая вырезки. Я совсем было собрался попросить, чтобы он показал нам свою коллекцию рубинов, но тут зазвонил телефон, и Гэтсби взял трубку.

— Да... Нет, сейчас я занят... Занят, старина... Я же сказал: в небольших городках... Он, надеюсь, понимает, что такое небольшой городок? Ну, если Детройт, по его представлениям, небольшой городок, то нам с ним вообще говорить не о чем.

Он дал отбой.

— Идите сюда, скорей! — закричала Дэзи, подойдя к окну.

Дождь еще шел, но на западе темная завеса разорвалась, и над самым морем клубились пушистые, золотисто-розовые облака.

— Хорошо? — спросила она шепотом и, помолчав, также шепотом сказала: — Поймать бы такое розовое облако, посадить вас туда и толкнуть — плывите себе.

Я хотел уйти, но они меня не пустили; может быть, от моего присутствия в комнате они еще острей чувствовали себя наедине друг с другом.

— Знаете, что мы сделаем? — сказал Гэтсби. — Мы сейчас заставим Клипспрингера поиграть нам на рояле.

Он вышел из комнаты, крича: «Юинг!» — и скоро вернулся в сопровождении немного облезлого смущенного молодого человека с реденькими светлыми волосами и в черепаховых очках. Сейчас он был вполне прилично одет в спортивного типа рубашку с отложным воротничком, теннисные туфли и холщовые брюки неопределенного оттенка.

— Мы вам помешали заниматься гимнастикой? — учтиво осведомилась Дэзи.

— Я спал, — выкрикнул Клипспрингер в пароксизме смущения. — То есть это я раньше спал. А потом я встал...

— Клипспрингер играет на рояле, — сказал Гэтсби, прервав его речь. — Правда ведь, вы играете, Юинг, старина?

— Я, собственно говоря, очень плохо играю. Собственно говоря... нет, я почти не играю. Я совсем разучи...

— Идемте вниз, — перебил Гэтсби. Он щелкнул выключателем. Вспыхнул яркий свет, и серые окна исчезли.

В музыкальном салоне Гэтсби включил одну только лампу у рояля. Он дал Дэзи закурить — спичка дрожала у него в пальцах; он сел рядом с ней на диван в противоположном углу, освещенном лишь отблесками люстры из холла в натертом до глянца паркете.

Клипспрингер сыграл «Приют любви», потом повернулся на табурете и жалобным взглядом стал искать в темноте Гэтсби.

— Вот видите, я совсем разучился. Говорил же я вам. Я совсем разу...

— А вы не разговаривайте, а играйте, старина, — скомандовал Гэтсби. — Играйте!

Днем и ночью,
Днем и ночью
Жизнь забавами полна́...

За окном разбушевался ветер, и где-то над проливом глухо урчал гром. Уэст-Эгг уже светился всеми огнями. Нью-йоркская электричка сквозь дождь и туман мчала жителей пригородов домой с работы. Наступал переломный час людского существования, и воздух был заряжен беспокойством.

Наживают богачи денег полные мешки.
Ну а бедный наживает только кучу детворы,

Между прочим,
Между прочим...

Когда я подошел, чтобы проститься, я увидел у Гэтсби на лице прежнее выражение растерянности — как будто в нем зашевелилось сомнение в полноте обретенного счастья. Почти пять лет! Были, вероятно, сегодня минуты, когда живая Дэзи в чем-то не дотянула до Дэзи его мечтаний, — и дело тут было не в ней, а в огромной жизненной силе созданного им образа. Этот образ был лучше ее, лучше всего на свете. Он творил его с подлинной страстью художника, все время что-то к нему прибавляя, украшая его каждым ярким перышком, попадавшимся под руку. Никакая ощутимая, реальная прелесть не может сравниться с тем, что способен накопить человек в глубинах своей фантазии.

Я видел, что он пытается овладеть собой. Он взял Дэзи за руку, а когда она что-то сказала ему на ухо, повернулся к ней порывистым, взволнованным движением. Мне кажется, ее голос особенно притягивал его своей переменчивой, лихорадочной теплотой. Тут уж воображение ничего не могло преувеличить — бессмертная песнь звучала в этом голосе.

Обо мне они забыли. Потом Дэзи, спохватившись, подняла голову и протянула мне руку, но для Гэтсби я уже не существовал. Я еще раз посмотрел на них, и они в ответ посмотрели на меня, но это был рассеянный, невидящий взгляд — они жили сейчас только своей жизнью. Я вышел из комнаты и под дождем спустился с мраморной лестницы, оставив их вдвоем.

Глава VI

В один из этих дней к Гэтсби заявился какой-то молодой, жаждущий славы репортер из Нью-Йорка и спросил, не желает ли он высказаться.

— О чем именно высказаться? — вежливо осведомился Гэтсби.

— Все равно о чем — просто несколько слов для печати.

После пятиминутной неразберихи выяснилось, что молодой человек услышал фамилию Гэтсби у себя в редакции, в беседе, которую он то ли не совсем понял, то ли не хотел разглашать. И в первый же свой свободный день он с похвальной предприимчивостью устремился «на разведку».

Это был выстрел наудачу, но репортерский инстинкт не подвел. Легенды о Гэтсби множились все лето благодаря усердию сотен людей, которые у него ели и пили и на этом основании считали себя осведомленными в его делах, и сейчас он уже был недалек от того, чтобы стать газетной сенсацией. С его именем связывались фантастические проекты в духе времени вроде «подземного нефтепровода США—Канада»; ходил также упорный слух, что он живет вовсе не в доме, а на огромной, похожей на дом яхте, которая тайно курсирует вдоль лонг-айлендского побережья. Почему эти небылицы могли радовать Джеймса Гетца из Северной Дакоты — трудно сказать.

Джеймс Гетц — таково было его настоящее или, во всяком случае, законное имя. Он его изменил, когда ему было семнадцать лет, в знаменательный миг, которому суждено было стать началом его карьеры, — когда он увидел яхту Дэна Коди, бросившую якорь у одной из самых коварных отмелей Верхнего озера. Джеймсом Гетцем вышел он в этот день на берег в зеленой рваной фуфайке и парусиновых штанах, но уже Джеем Гэтсби бросился в лодку, догреб до «Туоломея» и предупредил Дэна Коди, что через полчаса поднимется ветер, который может сорвать яхту с якоря и разнести ее в щепки.

Вероятно, это имя не вдруг пришло ему в голову, а было придумано задолго до того. Его родители были простые фермеры, которых вечно преследовала неудача, — в мечтах он никогда не признавал их своими родителями. В сущности, Джей Гэтсон из Уэст-Эгга, Лонг-Айленд, вырос из его раннего идеального представления о себе. Он был сыном Божьим — если эти слова вообще что-нибудь означают, то они означают именно это — и должен был исполнить предначертания Отца своего, служа вездесущей, вульгарной и мишурной красоте. Вот он и выдумал себе Джея Гэтсби в полном соответствии со вкусами и понятиями семнадцатилетнего мальчишки и остался верен этой выдумке до самого конца.

Больше года он околачивался на побережье Верхнего озера, промышлял ловлей кеты, добычей съедобных моллюсков — всем, чем можно было заработать на койку и еду. Его смуглое тело получило естественную закалку в полуизнурительном-полуизнеживающем труде тех дней. Он рано узнал женщин и, избалованный ими, научился их презирать — юных и девственных за неопытность, других за то, что они поднимали шум из-за многого, что для него, в его беспредельном эгоцентризме, было в порядке вещей.

Но в душе его постоянно царило смятение. Самые дерзкие и нелепые фантазии одолевали его, когда он ложился в постель. Под тиканье часов на умывальнике, в лунном свете, пропитывавшем голубой влагой смятую одежду на полу, развертывался перед ним ослепительно яркий мир. Каждую ночь его воображение ткало все новые и новые узоры, пока сон не брал его в свои опустошающие объятия посреди какой-нибудь особо увлекательной мечты. Некоторое время эти ночные грезы служили ему отдушиной; они исподволь внушали веру в нереальность реального: убеждали в том, что мир прочно и надежно покоится на крылышках феи.

За несколько месяцев до того инстинктивная забота об уготованном ему блистательном будущем привела его в маленький лютеранский колледж Святого Олафа в Южной Миннесоте. Он пробыл там две недели, не переставая возмущаться всеобщим неистовым равнодушием к барабанным зорям его судьбы и негодовать на унизительную работу дворника, за которую пришлось взяться в виде платы за учение. Потом он вернулся на Верхнее озеро и все еще искал себе подходящее занятие, когда в мелководье близ берегов бросила якорь яхта Дэна Коди.

Коди было в то время пятьдесят лет; он прошел школу Юкона, серебряных приисков Невады и всех вообще металлических лихорадок начиная с семьдесят пятого года. Операции с монтанской нефтью, принесшие ему несколько миллионов, не отразились на его физическом здоровье, однако привели его чуть не на грань слабоумия, и немало женщин, учуяв это, пытались разлучить его с его деньгами. Страницы газет 1902 года полны были пикантных рассказов о тех хитросплетениях, которые помогли журналистке Элле Кей играть роль мадам де Ментенон при слабеющем духом миллионере и в конце концов заставили его спастись бегством на морской яхте. И вот, после пятилетних скитаний вдоль многих гостеприимных берегов, он появился в заливе Литтл-Герл на Верхнем озере и стал судьбой Джеймса Гетца.

Когда юный Гетц, пристав на веслах, глядел снизу вверх на белый корпус яхты, ему казалось, что в ней воплощено все прекрасное и все удивительное, что только есть в мире. Вероятно, он улыбался, разговаривая с Коди, — он уже знал по опыту, что людям нравится его улыбка. Как бы то ни было, Коди задал ему несколько вопросов (ответом на один из них явилось новоизобретенное имя) и обнаружил, что мальчик смышлен и до крайности честолюбив. Спустя несколько дней он свез его в Дулт, где купил ему синюю куртку, шесть пар белых полотняных брюк и фуражку яхтсмена. А когда «Туоломей» вышел в плаванье к Вест-Индии и берберийским берегам, на борту находился Джей Гэтсби.

Обязанности его были неопределенны и со временем менялись — стюард, старший помощник, капитан, секретарь и даже тюремщик, потому что трезвому Дэну Коди было хорошо известно, что способен натворить пьяный Дэн Коди, и, стараясь обезопасить себя от всевозможных случайностей, он все больше и больше полагался на Джея Гэтсби. Так продолжалось пять лет, в течение которых судно три раза обошло вокруг континента, и так могло бы продолжаться бесконечно, но однажды в Бостоне на яхту взошла Элла Кей, и неделю спустя Дэн Коди, нарушая долг гостеприимства, отдал Богу душу.

Я помню его портрет, висевший у Гэтсби в спальне: седой человек с обветренным лицом, с пустым и суровым взглядом — один из тех необузданных пионеров, которые в конце прошлого века вновь принесли на восточное побережье Америки буйную удаль салунов и публичных домов западной границы. Это ему Гэтсби косвенно был обязан своей нелюбовью к спиртным напиткам. Случалось, на какой-нибудь развеселой вечеринке женщины смачивали ему волосы шампанским; но пил он редко и мало.

Коди оставил ему наследство — двадцать пять тысяч долларов. Из этих денег он не получил ни цента. Ему так и осталось непонятным существо юридических уловок, пущенных в ход против него, но все, что уцелело от миллионов Коди, пошло Элле Кей. А он остался при том, что дал ему своеобразный опыт этих пяти лет; отвлеченная схема Джея Гэтсби облеклась в плоть и кровь и стала человеком.

Все это я узнал много позже, но нарочно записываю здесь — в противовес всем нелепым слухам о его прошлом, которые я приводил раньше и в которых не было и тени правды. К тому же он мне рассказывал это в дни больших потрясений, когда я дошел до того, что мог бы поверить о нем всему — или ничему. Вот я и решил воспользоваться этой короткой паузой в своем повествовании — пока Гэтсби, так сказать, переводит дух, — чтобы рассеять все заблуждения, которые тут могли возникнуть.

В моем непосредственном общении с ним тоже наступила в то время пауза. Недели две я его не видел, не слышал даже его голоса по телефону — я почти все вечера пропадал в Нью-Йорке, шатался с Джордан по городу и усиленно старался втереться в милость к ее престарелой тетке. Но как-то в воскресенье, уже под вечер, мне вздумалось пойти его проведать. Не прошло и пяти минут после моего прихода, как явилось еще трое гостей; одним из них был Том Бьюкенен. Я так и подскочил от удивления, хотя удивительным было разве только то, что этого не произошло до сих пор.

Они катались верхом и заехали потому, что захотелось выпить, — Том, некто по фамилии Слоун и красивая дама в коричневой амазонке, которая уже бывала здесь прежде.

— Очень рад вас видеть, — говорил Гэтсби, выйдя им навстречу. — Очень рад, что вы заехали.

Как будто их это интересовало!

— Садитесь, пожалуйста. Сигарету? Или, может быть, сигару? — Он озабоченно расхаживал по комнате, нажимая кнопки звонков. — Сейчас принесут чего-нибудь выпить.

Его сильно взволновало, что Том здесь, у него в доме. Впрочем, он все равно не успокоился бы, если бы не угостил их, — должно быть, смутно чувствовал, что только затем они и явились. Мистер Слоун от всего отказывался. Может быть, лимонаду? Нет, спасибо. Ну, бокал шампанского? Нет, ровно ничего, спасибо... Извините...

— Хорошо покатались?

— Дороги здесь отличные.

— Но мне кажется, автомобили...

— М-да, пожалуй...

Не в силах утерпеть, Гэтсби повернулся к Тому, который ни слова не сказал, когда их знакомили словно бы впервые.

— Мы как будто уже где-то встречались, мистер Бьюкенен?

— Да-да, конечно, — сказал Том с грубоватой вежливостью, хотя явно не вспомнил. — Ну как же. Я отлично помню.

— Недели две тому назад.

— Совершенно верно. Вы тогда были вот с ним — с Ником.

— Я знаком с вашей женой, — продолжал Гэтсби, уже почти агрессивно.

— Неужели?

Том повернулся ко мне:

— Ты, кажется, живешь где-то близко, Ник?

— Рядом.

— Неужели?

Мистер Слоун сидел, надменно развалясь в кресле, и в разговоре участия не принимал; дама тоже помалкивала, но после второй порции виски с содовой вдруг мило заулыбалась.

— Мы все приедем на ваш следующий журфикс, мистер Гэтсби, — объявила она. — Не возражаете?

— Ну что вы. Буду чрезвычайно рад.

— Вы очень любезны, — скучным голосом сказал мистер Слоун. — Мы... Нам, пожалуй, пора.

— Отчего же так скоро? — запротестовал Гэтсби. Он уже овладел собой, и ему хотелось подольше побыть в обществе Тома. — Может быть... может быть, вы останетесь к ужину? Наверно, приедет кто-нибудь из Нью-Йорка.

— А давайте лучше поедем ужинать на мою виллу, — оживилась дама. — Все — и вы тоже.

Последнее относилось ко мне. Мистер Слоун поднялся с кресла.

— Едем, — сказал он, обращаясь только к ней одной.

— Нет, серьезно, — не унималась она. — Это будет очень мило. Места всем хватит.

Гэтсби вопросительно посмотрел на меня. Ему хотелось поехать, и он не замечал, что мистер Слоун уже решил этот вопрос, и решил не в его пользу.

— Я, к сожалению, вынужден отказаться, — сказал я.

— Но вы поедете, мистер Гэтсби, да? — настаивала дама.

Мистер Слоун сказал что-то, наклонясь к ее уху.

— Ничего не поздно, если мы сейчас же выедем, — возразила она вслух.

— У меня нет лошади, — сказал Гэтсби. — В армии мне приходилось ездить верхом, а вот своей лошади я так и не завел. Но я могу поехать на машине следом за вами. Я через минуту буду готов.

Мы четверо вышли на крыльцо, и Слоун с дамой сердито заспорили, отойдя в сторону.

— Господи, он, кажется, всерьез собрался к ней ехать, — сказал мне Том. — Не понимает, что ли, что он ей вовсе ни к чему.

— Но она его приглашала.

— У нее будут гости, все чужие для него люди. — Он нахмурил брови. — Интересно, где этот тип мог познакомиться с Дэзи? Черт подери, может, у меня старомодные взгляды, но мне не нравится, что женщины теперь ездят куда попало, якшаются со всякими сомнительными личностями.

Я вдруг увидел, что мистер Слоун и дама сходят вниз и садятся на лошадей.

— Едем, — сказал мистер Слоун Тому. — Мы и так уже слишком задержались. — И добавил, обращаясь ко мне: — Вы ему, пожалуйста, скажите, что мы не могли ждать.

Том тряхнул мою руку, его спутники ограничились довольно прохладным поклоном и сразу пустили лошадей рысью. Августовская листва только что скрыла их из виду, когда на крыльцо вышел Гэтсби в шляпе и с макинтошем на руке.

Как видно, Тома все же беспокоило, что Дэзи ездит куда попало одна, — в следующую субботу он появился у Гэтсби вместе с нею. Быть может, его присутствие внесло в атмосферу вечера что-то гнетущее; мне, во всяком случае, этот вечер запомнился именно таким, непохожим на все другие вечера у Гэтсби. И люди были те же — или, по крайней мере, такие же, — шампанского столько же, и та же разноцветная, разноголосая суетня вокруг, но что-то во всем этом чувствовалось неприятное, враждебное, чего я никогда не замечал раньше. А может быть, просто я успел привыкнуть к Уэст-Эггу, научился принимать его как некий самостоятельный мир со своим мерилом вещей, со своими героями, мир совершенно полноценный, поскольку он себя неполноценным не сознавал, — а теперь я вдруг взглянул на него заново, глазами Дэзи. Всегда очень тягостно новыми глазами увидеть то, с чем успел так или иначе сжиться.

Том и Дэзи приехали, когда уже смеркалось; мы все вместе бродили в пестрой толпе гостей, и Дэзи время от времени издавала горлом какие-то переливчатые, воркующие звуки.

— Я просто сама не своя, до чего мне все это нравится, — нашептывала она. — Ник, если тебе среди вечера захочется меня поцеловать, ты только намекни, и я это с превеликим удовольствием устрою. Просто назови меня по имени. Или предъяви зеленую карточку. Я даю зеленые карточки тем, кому...

— Смотрите по сторонам, — посоветовал Гэтсби.

— Я смотрю. Я просто в восторге от...

— Вероятно, вы многих узнаете — это люди, пользующиеся известностью.

Нагловатый взгляд Тома блуждал по толпе.

— А я как раз подумал, что не вижу здесь ни одного знакомого лица, — сказал он. — Мы, знаете ли, мало где бываем.

— Не может быть, чтобы вам была незнакома эта дама.

Та, на кого указывал Гэтсби, красавица, больше похожая на орхидею, чем на женщину, восседала величественно под старой сливой. Том и Дэзи остановились, поддавшись странному чувству неправдоподобности, которое всегда испытываешь, когда в живом человеке узнаешь бесплотную кинозвезду.

— Как она хороша! — сказала Дэзи.

— Мужчина, который к ней наклонился, — ее режиссер.

Он водил их от одной группы к другой, церемонно представляя:

— Миссис Бьюкенен... и мистер Бьюкенен... — После минутного колебания он добавил: — Чемпион поло.

— С чего вы взяли? — запротестовал Том. — Никогда не был.

Но Гэтсби, видно, понравилось, как это звучит, и Том так и остался на весь вечер «чемпионом поло».

— Ни разу в жизни не видела столько знаменитостей сразу! — воскликнула Дэзи. — не очень понравился этот — как его? — у которого еще такой сизый нос.

Гэтсби назвал фамилию, добавив, что это директор небольшого киноконцерна.

— Все равно, он мне понравился.

— Я бы предпочел не быть чемпионом поло, — скромно сказал Том. — Я бы лучше любовался всеми этими знаменитостями, так сказать, оставаясь в тени.

Дэзи пошла танцевать с Гэтсби. Помню, меня удивило изящество его плавного, чуть старомодного фокстрота — он никогда раньше при мне не танцевал. Потом они потихоньку перебрались на мой участок и с полчаса сидели вдвоем на ступеньках крыльца, а я в это время, по просьбе Дэзи, сторожил в саду. «А то вдруг пожар или потоп, — сказала она в пояснение. — Или еще какая-нибудь Божья кара».

Том вынырнул из тени, когда мы втроем садились ужинать.

— Не возражаете, если я поужинаю вон за тем столом? — сказал он. — Там один тип рассказывает очень смешные анекдоты.

— Пожалуйста, милый, — весело ответила Дэзи. — И вот тебе мой золотой карандашик, вдруг понадобится записать чей-нибудь адрес.

Минуту спустя она посмотрела туда, где он сел, и сказала мне:

— Ну что ж — вульгарная, но хорошенькая. — И я понял, что, если не считать того получаса у меня на крыльце, не таким уж радостным был для нее этот вечер.

Мы сидели за столом, где подобралась особенно пьяная компания. Это вышло по моей вине — Гэтсби как раз позвали к телефону, и я подсел к людям, с которыми мне было очень весело на позапрошлой неделе. Но то, что тогда казалось забавным, сейчас словно отравляло воздух.

— Ну, как вы себя чувствуете, мисс Бедекер?

Поименованная девица безуспешно пыталась вздремнуть у меня на плече. Услышав вопрос, она выпрямилась и раскрыла глаза.

— Чего-о?

За нее вступилась рыхлая толстуха, только что настойчиво зазывавшая Дэзи на партию гольфа в местный клуб.

— Ей уже лучше. Она всегда как выпьет пять-шесть коктейлей, так сейчас же начинает громко выть. Сколько раз я ей втолковывала, что ей на спиртное и смотреть нельзя.

— А я и не смотрю, — вяло оправдывалась обвиняемая.

— Мы услышали вой, и я сразу сказала доку Сивету: «Ну, док, тут требуется ваша помощь».

— Она вам, наверно, признательна за заботу, — вмешалась третья дама не слишком ласково, — но только вы ей все платье измочили, когда окунали ее головой в воду.

— Терпеть не могу, когда меня окунают головой в воду, — пробурчала мисс Бедекер. — В Нью-Джерси меня раз чуть не утопили.

— Тем более, значит, не надо вам пить, — подал реплику доктор Сивет.

— А вы за собой смотрите! — завопила мисс Бедекер с внезапной яростью. — У вас вон руки трясутся. Ни за что бы не согласилась лечь к вам на операцию!

И дальше все в том же роде. Помню, уже под конец вечера мы с Дэзи стояли и смотрели издали на кинорежиссера и его звезду. Они все сидели под старой сливой, и лица их были уже почти рядом, разделенные только узеньким просветом, в котором голубела луна. Мне пришло в голову, что он целый вечер клонился и клонился к ней, понемногу сокращая этот просвет, — и только я это подумал, как просвета не стало и его губы прижались к ее щеке.

— Она мне нравится, — сказала Дэзи. — Она очень хороша.

Но все остальное ее шокировало — и тут нельзя было спорить, потому что это была не поза, а искреннее чувство. Ее пугал Уэст-Эгг, это ни на что не похожее детище оплодотворенной Бродвеем лонг-айлендской рыбачьей деревушки, — пугала его первобытная сила, бурлившая под покровом обветшалых эвфемизмов, и тот чересчур навязчивый рок, что гнал его обитателей кратчайшим путем из небытия в небытие. Ей чудилось что-то грозное в самой его простоте, которую она не в силах была понять.

Я сидел вместе с ними на мраморных ступенях, дожидаясь, когда подойдет их машина.

Здесь, перед домом, было темно; только из двери падал прямоугольник яркого света, прорезая мягкую предутреннюю черноту. Порой на спущенной шторе гардеробной мелькала чья-то тень, за ней другая — целая процессия теней, пудрившихся и красивших губы перед невидимым зеркалом.

— А вообще, кто он такой, этот Гэтсби? — неожиданно спросил Том. — Наверно, крупный бутлегер?

— Это кто тебе сказал? — нахмурился я.

— Никто не сказал. Я сам так решил. Ты же знаешь, почти все эти новоявленные богачи — крупные бутлегеры.

— Гэтсби не из них, — коротко ответил я.

Он с минуту молчал. Слышно было, как у него под ногой хрустит гравий.

— Должно быть, ему немало пришлось потрудиться, чтобы собрать у себя такой зверинец.

Подул ветерок, серым облачком распушил меховой воротник Дэзи.

— Во всяком случае, эти люди интереснее тех, которые бывают у нас, — с некоторым усилием возразила она.

— Что-то я не заметил, чтобы тебе было так уж интересно с ними.

— Плохо смотрел.

Том засмеялся и повернулся ко мне:

— Ты видел, какое лицо сделалось у Дэзи, когда та рыжая девица попросила отвести ее под холодный душ?

Дэзи стала подпевать музыке хрипловатым ритмичным полушепотом, вкладывая в каждое слово смысл, которого в нем не было раньше и не оставалось потом. Когда мелодия шла вверх, голос, следуя за ней, мягко сбивался на речитатив, как это часто бывает с грудным контральто, и при каждом таком переходе кругом словно разливалось немножко волшебного живого тепла.

— Очень многие являются без приглашения, — сказала вдруг Дэзи. — Вот и эта девица так явилась. Врываются чуть не силой, а он из деликатности молчит.

— Все-таки любопытно, кто он и чем занимается, — не унимался Том. — Я за это возьмусь и выясню.

— А я тебе и так могу сказать, — ответила Дэзи. — У него свои аптеки, целая сеть аптек в разных городах. Он сам ее создал.

Из-за поворота аллеи показался наконец запоздавший автомобиль.

— Спокойной ночи, Ник, — сказала Дэзи, вставая.

Ее взгляд скользнул мимо меня выше, к свету, к распахнутой двери, из которой неслись звуки простенького грустного вальса «В три часа утра» — модной новинки года. Как бы там ни было, а в самой пестроте этого случайного сборища таились романтические возможности, которых начисто был лишен ее упорядоченный мир. Чем так притягивала ее эта песенка, почему так не хотелось от нее уезжать? Что еще могло случиться здесь в мглистый, тревожный час наступающего утра? Вдруг появится новый нежданный гость или гостья, какое-нибудь залетное чудо, привлекающее все взоры, девушка в полном блеске нетронутой юности, — и один свежий взгляд, брошенный на Гэтсби, одно завораживающее мгновение сведет на нет пять лет непоколебимой верности.

Я на этот раз задержался очень поздно. Гэтсби просил меня подождать, когда он освободится, и я в одиночестве слонялся по саду, пока не прибежали иззябшие, шумные любители ночного купанья, пока не погас свет во всех комнатах для гостей наверху. Когда наконец Гэтсби спустился ко мне в сад, его лицо под темным загаром казалось осунувшимся, усталые глаза беспокойно блестели.

— Ей не понравилось, — сразу же сказал он.

— Что вы, напротив.

— Нет, не понравилось. Ей было скучно.

Он замолчал, но и без слов было ясно, как он подавлен.

— Она как будто далеко-далеко от меня, — сказал он. — Я не могу заставить ее понять.

— Вы о бале?

— О бале? — Одним щелчком пальцев он смахнул со счетов все когда-либо данные им балы. — При чем тут бал, старина?

Ему хотелось, чтобы Дэзи ни больше ни меньше как пришла к Тому и сказала: «Я тебя не люблю и никогда не любила». А уж после того, как она перечеркнет этой фразой четыре последних года, можно будет перейти к более практическим делам. Так, например, как только она формально получит свободу, они уедут в Луисвилл и отпразднуют свадьбу в ее родном доме — словно бы пять лет назад.

— А она не понимает, — сказал он. — Раньше она все умела понять. Мы, бывало, часами сидим и...

Он не договорил и принялся шагать взад и вперед по пустынной дорожке, усеянной апельсинными корками, смятыми бумажками и увядшими цветами.

— Вы слишком многого от нее хотите, — рискнул я заметить. — Нельзя вернуть прошлое.

— Нельзя вернуть прошлое? — недоверчиво воскликнул он. — Почему нельзя? Можно!

Он тревожно оглянулся по сторонам, как будто прошлое пряталось где-то здесь, в тени его дома, и, чтобы его вернуть, достаточно было протянуть руку.

— Я устрою так, что все будет в точности как было, — сказал он и решительно мотнул головой. — Она сама увидит.

Он пустился в воспоминания, и я почувствовал, как он напряженно ищет в них что-то, может быть какой-то образ себя самого, целиком растворившийся в любви к Дэзи. Вся его жизнь пошла потом вкривь и вкось, но если бы вернуться к самому началу и медленно, шаг за шагом, снова пройти весь путь, может быть, удалось бы найти утраченное...

...Однажды вечером, пять лет тому назад, — была осень, падали листья — они бродили по городу вдвоем и вышли на улицу, где деревьев не было и тротуар белел в лунном свете. Они остановились, повернувшись лицом друг к другу. Вечер был прохладный, полный того таинственного беспокойства, которое всегда чувствуется на переломе года. Освещенные окна как будто с тихим гулом выступали из сумрака, на небе среди звезд шла какая-то суета. Краешком глаза Гэтсби увидел, что плиты тротуара вовсе не плиты, а перекладины лестницы, ведущей в тайник над верхушками деревьев, — он может взобраться туда по этой лестнице, если будет взбираться один, и там, приникнув к сосцам самой жизни, глотнуть ее чудотворного молока.

Белое лицо Дэзи придвигалось все ближе, а сердце у него билось все сильней. Он знал: стоит ему поцеловать эту девушку, слить с ее тленным дыханием свои не умещающиеся в словах мечты — и прощай навсегда божественная свобода полета мысли. И он медлил, еще прислушиваясь к звучанию камертона, задевшего звезду. Потом он поцеловал ее. От прикосновения его губ она расцвела для него как цветок, и воплощение совершилось.

В его рассказе, даже в чудовищной сентиментальности всего этого, мелькало что-то неуловимо знакомое — обрывок ускользающего ритма, отдельные слова, которые я будто уже когда-то слышал. Раз у меня совсем было сложилась сама собой целая фраза, даже губы зашевелились, как у немого в попытке произнести какие-то внятные звуки. Но звуков не получилось, и то, что я уже почти припомнил, осталось забытым навсегда.

Глава VII

В то самое время, когда общее любопытство, вызванное личностью Гэтсби, достигло предела, в доме его однажды в субботний вечер не засияли огни, — и на том кончилась его карьера Тримальхиона, так же загадочно, как и началась. Я заметил, хоть и не сразу, что машины, бодро сворачивающие в подъездную аллею, минуту спустя разочарованно выезжают обратно. Уж не заболел ли он, подумал я и пошел узнать. Незнакомый лакей с разбойничьей физиономией подозрительно уставился на меня с порога.

— Что, мистер Гэтсби болен?

— Нет. — Подумав, он неохотно добавил: — Сэр.

— Его нигде не видно, и я забеспокоился. Передайте, что заходил мистер Каррауэй.

— Кто? — грубо переспросил он.

— Каррауэй.

— Каррауэй. Ладно, передам.

И дверь захлопнулась у меня перед носом. От моей финки я узнал, что неделю назад

Гэтсби рассчитал всех своих слуг и завел новых, которые в поселок не ходят и взяток у торговцев не берут, а заказывают провизию по телефону, причем в умеренных количествах. По свидетельству рассыльного из бакалейной лавки, кухня в доме стала похожа на свинарник и в поселке успело сложиться твердое мнение, что новые слуги вообще не слуги.

На следующий день Гэтсби позвонил мне по телефону.

— Уезжать собираетесь? — спросил я.

— Нет, а почему?

— Говорят, вы отпустили всю прислугу.

— Мне нужна такая, которая не станет сплетничать, старина. Дэзи теперь часто приезжает — по вечерам.

Итак, весь караван-сарай развалился, как карточный домик, от ее неодобрительного взгляда.

— Эти люди — знакомые Вулфшима, он просил их куда-нибудь пристроить, вот я их и взял. Они все из одной семьи, братья и сестры. Когда-то содержали небольшой отель.

— Понятно.

Выяснилось, что звонит он по поручению Дэзи, — она хочет, чтобы я на следующий день приехал к ней завтракать. Мисс Бейкер тоже будет. Полчаса спустя позвонила сама Дэзи и так явно обрадовалась моему согласию, что я почувствовал: это неспроста. И все же мне не верилось; неужели они собираются устроить сцену — и притом довольно тяжелую сцену, если все будет так, как Гэтсби рисовал мне той ночью в саду.

День выдался — настоящее пекло, один из последних дней лета и, наверное, самый жаркий. Когда мой поезд вынырнул из туннеля на солнечный свет, лишь горячие гудки «Нэшнл бискуит компани» прорезывали раскаленную тишину полдня. Соломенные вагонные сиденья только что не дымились; моя соседка долго и терпеливо потела в своей белой блузке, но наконец, опустив влажную от рук газету, со стоном отчаяния откинулась назад, в духоту. При этом ее сумочка шлепнулась на пол.

— Ах ты господи! — вскрикнула она.

Я с трудом наклонился, подобрал сумочку и протянул ее владелице, держа за самый краешек и как можно дальше от себя, в знак того, что не намерен на нее покушаться; все кругом, в том числе и владелица сумочки, все равно заподозрили во мне вора.

— Жарко! — повторял контролер при виде каждого знакомого лица. — Ну и денек!.. Жарко!.. Жарко!.. Жарко!.. Вам не жарко? А вам жарко? А вам...

На моем сезонном билете осталось от его пальца темное пятно. В такой зной станешь ли разбирать, чьи пылающие губы целуешь, под чьей головкой мокнет карман пижамы на левой стороне груди, над сердцем?

...Когда мы с Гэтсби дожидались у двери бьюкененовского дома, легкий ветер донес из холла трель телефонного звонка.

— Подать труп хозяина? — зарычал в трубку лакей. — Сожалею, сударыня, но это никак не возможно. В такую жару к нему не прикоснешься.

На самом деле он говорил вот что:

— Да... Да... Сейчас узнаю.

Он положил трубку и поспешил к нам навстречу, чтобы взять наши канотье. Лицо его слегка лоснилось.

— Миссис Бьюкенен ожидает вас в гостиной, — сказал он, указывая дорогу, что, кстати, вовсе не требовалось. В такую жару каждое лишнее движение было посягательством на общий запас жизненных сил.

В гостиной благодаря полотняным тентам над окнами было полутемно и прохладно. Дэзи и Джордан лежали на исполинской тахте, точно два серебряных идола, придерживая свои белые платья, чтобы их не вздувало ветерком от жужжащих вентиляторов.

— Невозможно шевельнуться! — воскликнули они в один голос.

Пальцы Джордан в белой пудре поверх загара на секунду задержались в моей руке.

— А где же мистер Томас Бьюкенен, прославленный спортсмен? — спросил я.

И тотчас же у телефона в холле хрипловато и глухо зазвучал голос Тома.

Стоя на темно-алом ковре посреди гостиной, Гэтсби как завороженный озирался по сторонам. Дэзи посмотрела на него и засмеялась своим мелодичным, волнующим смехом;

крохотное облачко пудры взлетело с ее груди.

— Есть слух, что Том сейчас разговаривает со своей дамой, — шепнула мне Джордан.

Мы все примолкли. Голос в холле стал громче, в нем послышалось раздражение.

— Ах вот что, ну тогда я вообще не стану продавать вам эту машину... У меня вообще нет никаких обязательств перед вами... Это вообще безобразие — звонить и надоедать в час, когда люди сидят за столом...

— А трубку прикрыл рукой, — сказала Дэзи с презрительной усмешкой.

— Напрасно ты думаешь, — возразил я. — Он действительно собирается продать машину. Я случайно знаю об этой сделке.

Дверь распахнулась. Том на миг загородил весь проем своей массивной фигурой, затем стремительно шагнул в комнату.

— Мистер Гэтсби! — С хорошо скрытой неприязнью он протянул широкую плоскую руку. — Рад вас видеть, сэр... Ник...

— Приготовь нам выпить чего-нибудь холодненького, — громко попросила Дэзи.

Как только он вышел из комнаты, она встала, подошла к Гэтсби и, притянув его к себе, поцеловала в губы.

— Я люблю тебя, ты же знаешь, — прошептала она.

— Ты, кажется, забыла, что здесь еще кто-то есть, — сказала Джордан.

Дэзи недоверчиво оглянулась:

— А ты целуй Ника.

— Фу, бесстыдница!

— Ну и пусть! — выкрикнула Дэзи и, вскочив на кирпичную приступку перед камином, застучала по ней каблуками. Но сразу вспомнила про жару и с виноватым видом вернулась на свое место на тахте. Не успела она сесть, как в гостиную вошла накрахмаленная нянька, ведя за руку маленькую девочку.

— У, ты моя радость, — заворковала Дэзи, широко раскрывая объятия. — Иди скорей к мамочке, мамочка тебя так любит.

Девочка, почувствовав, что нянька отпустила ее руку, перебежала через всю комнату и застенчиво укрылась в складках материнского платья.

— У, ты, мое сокровище! Мама не запачкала пудрой твои желтенькие волосики? Ну-ка, стань ровненько и поздоровайся с гостями.

Мы с Гэтсби по очереди нагнулись и пожали неохотно протянутую ручку. И все время, пока девочка была в комнате, Гэтсби не сводил с нее изумленного взгляда. Кажется, он только сейчас поверил в ее существование.

— Я еще не завтракала, а уже в платьице, — сказала малышка, сразу же повернувшись к Дэзи.

— Это потому, что мама хотела показать тебя во всей красе. — Она прижалась лицом к единственной складочке, перерезавшей круглую шейку. — Ты же мое чудо! Самое настоящее маленькое чудо!

— Да, — невозмутимо согласилась малышка. — А у тети Джордан тоже белое платьице.

— Тебе нравятся мамины друзья? — Дэзи повернула девочку лицом к Гэтсби. — Посмотри, они красивые?

— А папа где?

— Она совершенно не похожа на отца, — сказала нам Дэзи. — Она вся в меня. Мои волосы, мой овал лица.

Она откинулась на валик тахты. Нянька подошла и протянула руку:

— Пойдем, Пэмми.

— До свидания, моя радость.

С сожалением оглянувшись назад, хорошо вымуштрованное дитя взялось за протянутую руку и было уведено в ту самую минуту, когда в гостиной опять появился Том, и за ним — четыре высоких бокала, в которых позвякивал лед.

Гэтсби взял бокал.

— Выглядит освежающе, — с натугой выговорил он.

Мы стали пить долгими жадными глотками.

— Я где-то читал, что солнце с каждым годом становится горячее, — сообщил Том весело. — И вроде бы Земля скоро упадет на Солнце — или нет, погодите, — как раз наоборот! — Солнце с каждым годом остывает.

— Давайте выйдем, — минуту спустя предложил он Гэтсби. — Я хочу показать вам сад и все угодья.

Я вышел на веранду вместе с ними. Зеленая вода пролива от жары казалась стоячей, одинокий маленький парус полз по ней к прохладе открытого моря. Гэтсби с минуту следил за ним глазами, потом махнул рукой, указывая на другую сторону бухты:

— Мой дом там, как раз напротив.

— Да, верно.

Мы смотрели вдаль, поверх розовых кустов, разогретого газона и выжженной зноем травы на берегу. Белое крыло парусника медленно двигалось к небу, отчеркнутому синей прохладной чертой. Где-то там, в иззубренном берегами океане, было множество благодатных островов.

— Вот это спорт! — тряхнув головой, сказал Том. — Я бы не отказался сегодня поплавать на этой штуке час-другой.

Завтракали в столовой, тоже затененной от солнца, запивая холодным пивом искусственное веселье.

— А куда нам девать себя вечером? — воскликнула Дэзи. — И завтра, и послезавтра, и в ближайшие тридцать лет?

— Пожалуйста, не впадай в меланхолию, — сказала Джордан. — С первым осенним холодком жизнь начнется сначала.

— Да, но сейчас так жарко, — настаивала Дэзи чуть не со слезами. — И все как в тумане. Знаете что, давайте поедем в город!

Ее голос боролся с жарой, сопротивляясь ей, пытаясь обуздать ее нелепость.

— Случается, что в конюшне устраивают гараж, — говорил Том, обращаясь к Гэтсби. — Но я первый устроил в гараже конюшню.

— Кто хочет ехать в город? — не унималась Дэзи. Гэтсби потянулся к ней взглядом. — Ах! — воскликнула она. — Вам словно бы совсем прохладно.

Их взгляды встретились и остановились, не отпуская друг друга. Они были одни во вселенной. Потом Дэзи заставила себя отвести глаза.

— Вам всегда прохладно, — сказала она.

Она говорила ему о своей любви, и Том вдруг понял. Он замер, ошеломленный. Рот его приоткрылся, он посмотрел на Гэтсби, потом снова на Дэзи, как будто только сейчас узнал в ней какую-то очень давнюю знакомую.

— Вы похожи на джентльмена с рекламной картинки, — продолжала Дэзи невинным тоном. — Знаете, бывают такие рекламные картинки...

— Ладно, — сразу перебил ее Том. — В город так в город, не возражаю. Собирайтесь все — мы едем в город.

Он встал, еще бросая грозные взгляды то на жену, то на Гэтсби. Никто не пошевелился.

— Ну что же вы? — Он еле сдерживался. — В чем дело? Ехать так ехать.

Рукой, дрожавшей от усилий, которые он над собой делал, он опрокинул в рот остатки пива из стакана. Голос Дэзи поднял нас всех из-за стола и вывел на пышущую жаром аллею.

— А почему так сразу? — запротестовала она. — Что за спешка? Почему нельзя спокойно выкурить сигарету?

— Все курили за завтраком.

— Не порть людям удовольствие, — упрашивала она. — В такую жару немыслимо торопиться.

Он не ответил.

— Ну, как хочешь, — сказала она. — Идем, Джордан.

Дамы пошли наверх привести себя в порядок, а мы все трое стояли, переминаясь с ноги на ногу на горячей гальке. Гэтсби кашлянул, собираясь что-то сказать, потом передумал, но Том уже успел повернуться и выжидательно смотрел ему в лицо.

— Ваша конюшня близко? — с деланой непринужденностью спросил Гэтсби.

— С четверть мили отсюда по шоссе.

— А-а!

Пауза.

— Дурацкая, в общем, затея — ехать в город, — взорвался Том. — Только женщине может прийти в голову такое...

— Прихватим с собой чего-нибудь выпить? — крикнула Дэзи сверху, из окна.

— Я возьму виски, — ответил Том и пошел в комнаты.

Гэтсби сумрачно повернулся ко мне:

— Не могу я разговаривать в этом доме, старина.

— У Дэзи нескромный голос, — заметил я. — В нем звенит... — Я запнулся.

— В нем звенят деньги, — неожиданно сказал он.

Ну конечно же. Как я не понял раньше. Деньги звенели в этом голосе, вот что так пленяло в его бесконечных переливах — звон металла, победная песнь кимвал... Во дворце высоком, беломраморном королевна, дева золотая...

Том вышел из дому, на ходу завертывая в полотенце большую бутылку. За ним шли Дэзи и Джордан в маленьких парчовых шапочках, с легкими накидками на руке.

— Мы можем ехать все в моей машине, — предложил Гэтсби. Он пощупал горячую кожу сиденья. — Надо было мне отвести ее в тень.

— У вас переключение скоростей обычное? — спросил Том.

— Да.

— Тогда знаете что, берите вы мой «фордик», а я поведу вашу машину.

Гэтсби это предложение не понравилось.

— Боюсь, бензину у меня маловато.

— Хватит, чего там, — развязно воскликнул Том. — Он взглянул на бензомер. — А не хватит, можно по дороге заехать в аптеку. Теперь в аптеках чего только не достанешь.

За этим словно бы безобидным замечанием последовала пауза. Дэзи посмотрела на Тома, сдвинув брови, а у Гэтсби прошла по лицу неуловимая тень, на миг придав ему непривычное и в то же время чем-то странно знакомое выражение — знакомое словно бы понаслышке.

— Садись, Дэзи, — сказал Том, подталкивая жену к машине Гэтсби. — Прокачу тебя в этом цирковом фургоне.

Он отворил дверцу, но Дэзи вывернулась из-под его руки.

— Ты бери Ника и Джордан. А мы поедем следом на «фордике».

Она подошла к Гэтсби и положила руку на его локоть. Джордан, Том и я уселись на переднем сиденье машины Гэтсби. Том тронул один рычаг, другой — и мы понеслись, разрезая горячий воздух, оставив их далеко позади.

— Видали? — спросил Том.

— Что именно?

Он пристально посмотрел на меня — должно быть, сообразил, что мы с Джордан давно уже знаем.

— Вы, наверно, меня крупным дураком считаете, — сказал он. — Пусть так, а все-таки у меня иногда появляется... ну, второе зрение, что ли, и оно мне подсказывает, как поступить. Может, вы и не верите в такие вещи, но наука...

Он запнулся. Непосредственная действительность напомнила о себе, не дав ему свалиться в бездну отвлеченных умствований.

— Я навел кое-какие справки об этом субъекте, — заговорил он снова. — Можно было копнуть и глубже, если б знать...

— Уж не ходил ли ты к гадалке? — ехидно спросила Джордан.

— Что? — Он вытаращил глаза, озадаченный нашим дружным смехом. — К гадалке?

— Да, насчет Гэтсби.

— Насчет Гэтсби? Нет, зачем? Я же сказал: я навел кое-какие справки о его прошлом.

— И выяснилось, что он учился в Оксфорде, — услужливо подсказала Джордан.

— В Оксфорде! Черта с два! — Он передернул плечами. — Человек, который ходит в розовом костюме!..

— И тем не менее.

— Оксфорд, который в штате Нью-Мексико, — пренебрежительно фыркнул Том. — Или еще где-то.

— Слушай, Том, если ты такой сноб, зачем было приглашать его в гости? — сердито спросила Джордан.

— Дэзи его пригласила; она с ним была знакома еще до замужества, — бог весть, где это ее угораздило!

От выветривавшихся пивных паров всем хотелось злиться, и некоторое время мы ехали молча. Но вот впереди показались выцветшие глаза доктора Т. Дж. Эклберга, и я вспомнил предупреждение Гэтсби насчет бензина.

— Ерунда, до города дотянем, — сказал Том.

— Зачем же, когда вот рядом гараж, — возразила Джордан. — Совсем невесело застрять где-нибудь на дороге в такое пекло.

Том с досадой затормозил, мы въехали на пыльный пятачок перед вывеской Джорджа Уилсона и круто остановились. Минуту спустя сам хозяин показался в дверях своего заведения и уставился пустым взглядом на нашу машину.

— Нельзя ли поживей? — грубо крикнул Том. — Мы приехали заправиться, а не любоваться пейзажем.

— Я болен, — сказал Уилсон, не трогаясь с места. — Я сегодня с самого утра болен.

— А что с вами?

— Слабость какая-то во всем теле.

— Что же, мне самому браться за шланг? — спросил Том. — По телефону голос у вас был вполне здоровый.

Уилсон переступил порог — видно было, что ему трудно расстаться с тенью и с опорой, — и, тяжело дыша, стал отвинчивать крышку бензобака. На солнце лицо у него было совсем зеленое.

— Я не думал, что помешаю вам завтракать, — сказал он. — Мне сейчас очень нужны деньги, и я хотел знать, что вы решили насчет той машины.

— А моя новая машина вам нравится? — спросил Том. — Я ее купил на прошлой неделе.

— Эта желтая? Хороша, — сказал Уилсон, налегая на рукоять.

— Хотите, продам?

— Вы все шутите. — Уилсон криво усмехнулся. — Нет уж, вы мне лучше продайте старую, я и на ней сумею заработать.

— А на что это вам так спешно понадобились деньги?

— Хочу уехать. Слишком я зажился в этих местах. Мы с женой хотим перебраться на Запад.

— Ваша жена хочет уехать? — в изумлении воскликнул Том.

— Десять лет она только о том и говорила. — Он на миг прислонился к колонке, ладонью прикрыв глаза от солнца. — А теперь, хочет не хочет, все равно уедет. Я ее отсюда увезу.

Мимо в облаке пыли промчался «фордик», чья-то рука помахала на ходу.

— Сколько с меня? — отрывисто спросил Том.

— Дошло тут до моих ушей кое-что неладное, — продолжал Уилсон. — Потому-то я и решил уехать. Потому и насчет машины вам докучал.

— Сколько с меня?

— Доллар двадцать центов.

От несокрушимого напора жары у меня мутилось в голове, и прошло несколько неприятных секунд, прежде чем я сообразил, что подозрения Уилсона пока еще никак не связаны с Томом. Просто он обнаружил, что у Миртл есть другая, отдельная жизнь в чужом и далеком ему мире, и от этого ему стало физически нехорошо. Я посмотрел на него, затем на Тома — ведь часу не прошло, как Том сделал совершенно такое же открытие, — и мне пришло в голову, что никакие расовые или духовные различия между людьми не могут сравниться с той разницей, которая существует между больным человеком и здоровым. Уилсон был болен, и от этого у него был такой непоправимо виноватый вид, как будто он только что обесчестил беззащитную девушку.

— Хорошо, машину я вам продам, — сказал Том. — Завтра днем она будет у вас.

Всегда для меня в этой местности было что-то безотчетно зловещее, даже при ярком солнечном свете. Вот и сейчас я невольно оглянулся, словно чуя какую-то опасность за спиной. Гигантские глаза доктора Т. Дж. Эклберга бдительно несли свою вахту над горами шлака, но я скоро заметил, что за нами напряженно следят другие глаза, и гораздо ближе.

В одном из окон над гаражом занавеска была чуть сдвинута в сторону, и оттуда на нашу машину глядела Миртл Уилсон. Она вся ушла в этот взгляд, не замечая, что за ней наблюдают; разнообразные оттенки чувств постепенно проступали на ее лице, как предметы на проявляемой фотографии. Мне и раньше приходилось подмечать на женских лицах подобное выражение, но на этот раз что-то в нем было несообразное, непонятное для меня — пока я не догадался, что расширенные ревнивым ужасом глаза Миртл устремлены не на Тома, а на Джордан Бейкер, которую она приняла за его жену.

...Нет смятения более опустошительного, чем смятение неглубокой души. Том вел машину, словно подхлестываемый обжигающим бичом паники. Еще час назад его жена и его любовница принадлежали ему прочно и нерушимо, а теперь они обе быстрее быстрого ускользали из его рук. И он все сильней нажимал на акселератор, инстинктивно стремясь к двойной цели: догнать Дэзи и уйти от Уилсона. Мы мчались к Астории со скоростью пятьдесят миль в час, пока впереди, в стальной паутине ферм надземки, не замаячил неторопливо катящий синий «фордик».

— В районе Пятидесятой улицы есть большое кино, где довольно прохладно, — сказала Джордан. — Люблю Нью-Йорк летом, во второй половине дня, когда он совсем пустой. В нем тогда есть что-то чувственное, перезрелое, как будто стоит подставить руки — и в них начнут валиться диковинные плоды.

Слово «чувственный» разбередило тревогу Тома, но, прежде чем он успел придумать возражение, «фордик» остановился, и Дэзи замахала рукой, подзывая нас.

— Теперь куда? — спросила она.

— В кино, может быть?

— Ох, в такую жару, — жалобно протянула она. — Вы ступайте, если хотите, а мы покатаемся и приедем за вами к концу сеанса. — Она сделала слабую попытку пошутить: — Назначим свидание на перекрестке. Я буду мужчина с двумя сигаретами во рту.

— Здесь не место спорить, — раздраженно сказал Том, услышав негодующее рявканье грузовика, которому мы загородили путь. — Поезжайте за мной к южному въезду в Центральный парк, тому, что напротив отеля «Плаза».

По дороге он и то и дело оглядывался, чтобы посмотреть, едут ли они следом, и, если им случалось застрять среди потока машин, он сбавлял скорость и ждал, когда «фордик» покажется снова. Казалось, он боится, что они вдруг нырнут в боковую улицу и навсегда скроются из виду — и из его жизни.

Но этого не случилось. И мы все сообща приняли трудно объяснимое решение — снять на вечер гостиную номера-люкс в «Плаза».

Подробности долгого и шумного спора, в результате которого мы были загнаны в эту гостиную, стерлись у меня из памяти; хотя я отчетливо помню неприятное ощущение, которое я испытывал во время этого спора оттого, что мои трусы обвивались вокруг ног, точно влажные змеи, а по спине то и дело скатывались холодные бусинки пота. Началось с предложения Дэзи снять в отеле пять ванных и принять освежающий душ; затем разговор пошел уже о «местечке, где можно выпить мятный коктейль со льдом». При этом раз двадцать было сказано: «Идиотская затея!» — но в конце концов, говоря все разом и перебивая друг друга, мы кое-как сговорились с обалделым портье. Нам казалось — или мы себе внушали, — что все это необыкновенно весело.

Комната была большая и душная, и, хотя шел уже пятый час, в окна, когда их распахнули, повеяло только сухостью накалившейся зелени парка. Дэзи подошла к зеркалу и, стоя ко всем спиной, стала поправлять прическу.

— Роскошный апартамент, — благоговейным шепотом произнесла Джордан.

Все расхохотались.

— Отворите еще окно, — не оглядываясь, распорядилась Дэзи.

— А больше нет.

— Ну, тогда придется позвонить, чтобы принесли топор...

— Прежде всего — довольно разговоров о жаре, — сердито сказал Том. — А то долбишь все время: жара, жара — от этого только в сто раз хуже.

Он развернул полотенце и поставил на стол свою бутылку виски.

— Что вы к ней придираетесь, старина? — сказал Гэтсби. — Вы ведь сами захотели ехать в город.

Наступила тишина. Вдруг толстый телефонный справочник сорвался с гвоздя и шлепнулся на пол. Джордан сказала шепотом: «Извините, пожалуйста», — но на этот раз никто не засмеялся.

— Я сейчас подниму, — сказал я.

— Не надо, я сам. — Гэтсби долго рассматривал лопнувший шнурок, потом с интересом хмыкнул и бросил справочник на стул.

— А без этого своего словца вы никак не можете? — резко спросил Том.

— Какого словца?

— Да вот — «старина». Где только вы его откопали?

— Слушай, Том, — сказала Дэзи, отходя от зеркала. — Если ты будешь говорить людям дерзости, я здесь ни минуты не останусь. Позвони лучше, чтобы принесли лед для коктейля.

Том снял трубку, но в эту минуту сжатый стенами зной взорвался потоками звуков — из бальной залы внизу донеслись торжественные аккорды мендельсоновского свадебного марша.

— Нет, вы подумайте — выходить замуж в такую жару! — трагически воскликнула Джордан.

— А что — я сама выходила замуж в середине июня, — вспомнила Дэзи. — Луисвилл в июне! Кто-то даже упал в обморок. Кто это был, Том?

— Билокси, — коротко ответил Том.

— Да-да, его звали Билокси. Блокс Билокси — и он занимался боксом, честное слово, и родом был из Билокси, штат Теннесси.

— Его тогда отнесли к нам в дом, — подхватила Джордан, — потому что мы жили в двух шагах от церкви. И он у нас проторчал целых три недели, в конце концов папе попросту пришлось его выставить. А назавтра после этого папа умер. — Помолчав, она добавила: — Одно к другому не имело отношения.

— Я знал одного Билокси — Билла Билокси, только тот был из Мемфиса, — вставил я.

— Это его двоюродный брат. За те три недели я успела изучить всю семейную историю. Он мне подарил алюминиевую клюшку для гольфа, я до сих пор ею пользуюсь.

Музыка внизу смолкла — началась брачная церемония. Потом в окна поплыл радостный гул поздравлений, крики: «Ура-а!» — и наконец взревел джаз, возвещая открытие свадебного бала.

— А мы стареем, — сказала Дэзи. — Были бы молоды, сразу бы пошли танцевать.

— Вспомни Билокси, — назидательно произнесла Джордан. — Где ты с ним, между прочим, познакомился, Том?

— С Билокси? — Он сосредоточенно наморщил лоб. — Я с ним вовсе не был знаком. Это приятель Дэзи.

— Ничего подобного, — возмутилась Дэзи. — Я его до свадьбы и в глаза не видала. Он вместе со всеми вами приехал из Чикаго.

— Да, но он представился как твой знакомый. Сказал, что вырос в Луисвилле. Эса Берд привел его на вокзал перед самым отходом поезда и просил найти для него местечко.

Джордан усмехнулась:

— Парень просто решил на дармовщинку проехаться в родные места. Мне он рассказывал, что был у вас президентом курса в Йеле.

Мы с Томом недоуменно воззрились друг на друга.

— Билокси?

— Начать с того, что у нас вообще не было никаких президентов курса.

Носком туфли Гэтсби отбивал на полу частую, беспокойную дробь. Том вдруг круто повернулся к нему.

— Кстати, мистер Гэтсби, вы как будто воспитанник Оксфордского университета?

— Не совсем так.

— Но вы как будто там учились?

— Да, я там учился.

Пауза. И затем голос Тома — издевательский, полный откровенного недоверия:

— Очевидно, это было в то самое время, когда Билокси учился в Йеле.

Снова пауза. Постучавшись, вошел официант, поставил на стол поднос с толченой мятой и льдом, поблагодарил и вышел, мягко притворив за собою дверь, но все эти звуки не нарушили напряженной тишины. Я ждал: вот сейчас наконец разъяснится одна важная подробность биографии Гэтсби.

— Я уже сказал вам: да, я там учился.

— Слышал, но мне хотелось бы знать, когда именно.

— Это было в девятнадцатом году. Я пробыл там всего пять месяцев. Поэтому я и не могу себя считать настоящим воспитанником Оксфорда.

Том оглянулся на нас, желая убедиться, что мы разделяем его недоверие, но мы все смотрели на Гэтсби.

— После перемирия некоторые офицеры получили такую привилегию, — продолжал тот. — Нам предоставлялась возможность прослушать курс лекций в любом университете Англии или Франции.

Мне захотелось вскочить и дружески хлопнуть его по спине. Я вновь обрел свою поколебленную было веру в него, как это уже не раз бывало раньше.

Усмехаясь одними уголками губ, Дэзи встала и подошла к столу.

— Открой бутылку, Том, — приказала она, — я тебе приготовлю мятный коктейль.

Тогда ты не будешь чувствовать себя таким дураком... Вот, я уже взяла мяту.

— Погоди, — огрызнулся Том. — Я хочу задать мистеру Гэтсби еще один вопрос.

— Пожалуйста, — вежливо сказал Гэтсби.

— По какому, собственно, праву вы пытаетесь устроить скандал в моей семье?

Разговор пошел в открытую — Гэтсби мог быть доволен.

— Никакого скандала он не устраивал. — Взгляд Дэзи испуганно заметался между ними обоими. — Это ты устраиваешь скандал. Умей владеть собой.

— Владеть собой? — вскинулся Том. — Это что, новая мода — молча любоваться, как мистер Невесть Кто Невесть Откуда амурничает с твоей женой? Если так, то я для этой моды устарел... Хороши пошли порядки! Сегодня наплевать на семью и домашний очаг, а завтра пусть все вообще летит кувырком, и да здравствуют браки между белыми и неграми.

Распалясь собственной рацеей, он уже чувствовал себя одиноким бойцом на последней баррикаде цивилизации.

— Здесь, кажется, все — белые, — вполголоса заметила Джордан.

— Я, конечно, не столь популярная личность. Я не задаю балов на всю округу. Видно, в наше время, чтобы иметь друзей, нужно устроить из собственного дома хлев.

Как я ни был зол — все мы были злы, — меня невольно разбирал смех при каждом новом выпаде Тома. Уж очень разительно было его превращение из распутника в моралиста.

— Послушайте, что я вам скажу, старина... — начал Гэтсби.

Но Дэзи угадала его намерение.

— Нет, нет, не надо, — в страхе перебила она. — Знаете что, поедем домой. Давайте поедем все домой.

— А в самом деле. — Я встал. — Поехали, Том. Пить никому неохота.

— Я желаю узнать, что мне имеет сообщить мистер Гэтсби.

— Ваша жена вас не любит, — сказал Гэтсби. — Она вас никогда не любила. Она любит меня.

— Вы с ума сошли! — выкрикнул Том.

Сам не свой от волнения, Гэтсби вскочил на ноги.

— Она вас никогда не любила, слышите? — закричал он. — Она вышла за вас только потому, что я был беден и она устала ждать. Это была чудовищная ошибка, но все равно она никогда никого не любила, кроме меня.

Мы с Джордан хотели было уйти, но Том и Гэтсби, один настойчивее другого, требовали, чтобы мы остались, словно подчеркивая, что скрывать им нечего и что для нас редкостная удача — приобщиться к кипящим в них страстям.

— Сядь, Дэзи. — Том тщетно пытался говорить отеческим тоном. — Что, в конце концов, происходит? Я требую, чтобы мне рассказали все.

— Я вам уже сказал, что происходит, — ответил Гэтсби. — И происходит целых пять лет, — а вы не знали.

Том резко повернулся к Дэзи:

— Ты целых пять лет встречалась с этим типом?

— Нет, мы не встречались, — ответил Гэтсби. — Встречаться мы не могли. Но мы все это время любили друг друга, старина, а вы не знали. Я иногда думал о том, что вы не знаете, и мне становилось смешно. — Но глаза его не смеялись.

— И это — все? — Том пасторским жестом соединил концы своих толстых пальцев и откинулся на спинку кресла. Но тут же его прорвало. — Вы сумасшедший, — крикнул он. — Не знаю, что там у вас было пять лет назад, до моего знакомства с Дэзи, — хоть убей, не пойму, как это вам вообще удалось попасться ей на глаза, разве что вы доставляли в дом покупки из бакалейной лавки. Но насчет всего прочего, так это бессовестная ложь. Дэзи выходила за меня по любви и сейчас меня любит.

— Нет, — сказал Гэтсби, качая головой.

— Конечно любит. Просто она иной раз навообразит себе всякий вздор и готова наделать глупостей с досады. — Он кивнул с глубокомысленным видом. — А главное, и я ее люблю. Даже если мне и случается позволять себе маленькие шалости, в конце концов я всегда возвращаюсь к Дэзи и, в сущности, люблю только ее одну.

— Гнусный ты человек, — сказала Дэзи. — Она повернулась ко мне, голос ее стал низким и грудным, и дрожавшее в нем презрение, казалось, заполонило комнату. — Ты знаешь, Ник, почему нам пришлось уехать из Чикаго? Странно, как это он не попытался развлечь тебя рассказами об этой маленькой шалости.

Гэтсби подошел и стал рядом с нею.

— Забудь все это, Дэзи, — сказал он решительно. — Это уже позади и не имеет значения. Ты только скажи ему правду — скажи, что ты никогда его не любила, — и все будет кончено, раз и навсегда,

Она подняла на него слепой, невидящий взгляд.

— Любить?.. Как я могла его любить, если...

— Ты никогда его не любила.

Она медлила. Она оглянулась на меня, на Джордан с каким-то жалобным выражением в глазах, словно бы только сейчас поняла, что делает, — и словно бы все это время вовсе и не думала ничего делать. Но она сделала. Отступать было поздно.

— Я никогда его не любила, — сказала она явно через силу.

— Даже в Капиолачи? — неожиданно спросил Том.

— Да.

Снизу, из бальной залы, на волнах горячего воздуха поднимались приглушенные, задыхающиеся аккорды.

— Даже в тот день, когда я нес тебя на руках из Панчбоул, чтобы ты не замочила туфли? — В его голосе зазвучала хрипловатая нежность. — Дэзи?..

— Замолчи. — Тон был холодный, но уже без прежней враждебности. Она посмотрела на Гэтсби. — Ну вот, Джей, — сказала она и стала закуривать сигарету, но рука у нее дрожала. Вдруг она швырнула сигарету вместе с зажженной спичкой на ковер. — Ох, ты слишком многого хочешь! — вырвалось у нее. — Я люблю тебя теперь — разве этого не довольно? Прошлого я не могу изменить. — Она заплакала. — Было время, когда я любила его, — но тебя я тоже любила.

Гэтсби широко раскрыл глаза — потом закрыл совсем.

— Меня ты *тоже* любила, — повторил он.

— И это — ложь! — остервенело крикнул Том. — Она о вас и думать не думала. Поймите вы, у нас с Дэзи есть свое, то, чего вам никогда не узнать. Только мы вдвоем знаем это и никогда не забудем — такое не забывается.

Казалось, каждое из этих слов режет Гэтсби как ножом.

— Дайте мне поговорить с Дэзи наедине, — сказал он. — Вы видите, она не в себе...

— Ты от меня и наедине не услышишь, что я совсем, совсем не любила Тома, — жалким голосом откликнулась Дэзи. — Потому что это неправда.

— Конечно неправда, — подхватил Том.

Дэзи оглянулась на мужа.

— А тебе будто не все равно, — сказала она.

— Конечно не все равно. И впредь я буду больше беспокоиться о тебе.

— Вы не понимаете, — встревоженно сказал Гэтсби. — Вам уже не придется о ней беспокоиться.

— Вот как? — Том сделал большие глаза и засмеялся. Он вполне овладел собой — теперь он мог себе это позволить. — Это почему же?

— Дэзи уходит от вас.

— Чушь!

— Нет, это верно, — заметно пересиливая себя, подтвердила Дэзи.

— Никуда она не уйдет! — Слова Тома вдруг сделались тяжелыми, как удары. — К кому? К обыкновенному жулику, который даже кольцо ей на палец наденет ворованное?

— Я этого не желаю слышать! — крикнула Дэзи. — Уедем, ради бога, уедем отсюда!

— Кто вы вообще такой? — грозно спросил Том. — Что вы из банды Мейера Вулфшима, мне известно — я навел кое-какие справки о вас и ваших делах. Но я постараюсь разузнать больше.

— Старайтесь сколько угодно, старина, — твердо произнес Гэтсби.

— Я уже знаю, что представляли собой ваши «аптеки». — Он повернулся к нам и продолжал скороговоркой: — Они с Вулфшимом прибрали к рукам сотни мелких аптек в переулках Нью-Йорка и Чикаго и торговали алкоголем за аптечными стойками. Вот вам одна из его махинаций. Я с первого взгляда заподозрил в нем бутлегера и, как видите, почти не ошибся.

— А если даже и так? — вежливо сказал Гэтсби. — Ваш друг Уолтер Чейз, например, не погнушался вступить с нами в компанию.

— А вы этим воспользовались, чтобы сделать из него козла отпущения. Сами в кусты, а ему пришлось месяц отсидеть в тюрьме в Нью-Джерси. Черт побери! Послушали бы вы, что он говорит о вас обоих!

— Он к нам пришел без гроша за душой. Ему не терпелось поправить свои дела, старина.

— Не смейте называть меня «старина»! — крикнул Том. Гэтсби промолчал. — Уолтеру ничего бы не стоило подвести вас и под статью о противозаконном букмекерстве, да только Вулфшим угрозами заткнул ему рот.

Опять на лице у Гэтсби появилось то непривычное и все же чем-то знакомое выражение.

— Впрочем, история с аптеками — это так, детские игрушки, — уже без прежней торопливости продолжал Том. — Я знаю, сейчас вы заняты аферой покрупнее, но какой именно, Уолтер побоялся мне рассказать.

Я оглянулся. Дэзи, сжавшись от страха, смотрела в пространство между мужем и Гэтсби, а Джордан уже принялась сосредоточенно балансировать невидимым предметом, стоявшим у нее на подбородке. Я снова перевел глаза на Гэтсби, и меня поразил его вид. Можно было подумать — говорю это с полным презрением к злоязычной болтовне, слышанной в его саду, — можно было подумать, что он «убил человека». При всей фантастичности этого определения в тот момент лучшего было не подобрать.

Это длилось ровно минуту. Потом Гэтсби взволнованно заговорил, обращаясь к Дэзи, все отрицал, отстаивал свое доброе имя, защищался от обвинений, которые даже не были высказаны. Но она с каждым его словом все глубже уходила в себя, и в конце концов он умолк; только рухнувшая мечта еще билась, оттягивая время, цепляясь за то, чего уже нельзя было удержать, отчаянно, безнадежно ловя знакомый голос, так жалобно звучавший в другом конце комнаты.

А голос все взывал:

— Том, ради бога, уедем! Я не могу больше!

Испуганные глаза Дэзи ясно говорили, что от всей ее решимости, от всего мужества, которое она собрала в себе, не осталось и следа.

— Ты поезжай с мистером Гэтсби, Дэзи, — сказал Том. — В его машине.

Она вскинула на него тревожный взгляд, но он настаивал с великодушием презрения:

— Поезжай. Он тебе не будет докучать. Я полагаю, он понял, что его претенциозный маленький роман окончен.

И они ушли вдвоем, без единого слова, исчезли, как призраки, одинокие и отторгнутые от всего, даже от нашей жалости.

Том взял полотенце и стал снова завертывать нераскупоренную бутылку виски.

— Может, кто-нибудь все-таки выпьет? Джордан?.. Ник?

Я молчал. Он окликнул еще раз:

— Ник?

— Что?

— Может, выпьешь?

— Нет... Я сейчас только вспомнил, что сегодня день моего рождения.

Мне исполнилось тридцать. Впереди, неприветливая и зловещая, пролегала дорога нового десятилетия.

Было уже семь часов, когда мы втроем уселись в синий «фордик» и тронулись в обратный путь. Том говорил без умолку, шутил, смеялся, но его голос скользил, не задевая наших мыслей, как уличный гомон, как грохот надземки вверху. Сочувствие ближнему имеет пределы, и мы охотно оставляли этот чужой трагический спор позади вместе с отсветами городских огней. Тридцать — это значило еще десять лет одиночества, все меньше друзей-холостяков, все меньше нерастраченных сил, все меньше волос на голове. Но рядом была Джордан, в отличие от Дэзи не склонная наивно таскать за собою из года в год давно забытые мечты. Когда замелькали мимо темные переплеты моста, ее бледное личико лениво склонилось к моему плечу и ободряющее пожатие ее руки умерило обрушившуюся на меня тяжесть тридцатилетия.

Так мы мчались навстречу смерти в сумраке остывающего дня.

На следствии главным свидетелем был молодой грек Михаэлис, владелец ресторанчика у шлаковых куч. Разморенный жарой, он проспал до пяти часов, потом вышел погулять и заглянул в гараж к Джорджу Уилсону. Он сразу увидел, что Уилсон болен, и болен не на шутку, — его трясло, лицо у него было желтое, одного цвета с волосами. Михаэлис посоветовал ему лечь в постель, но Уилсон не захотел, сказал, что боится упустить клиентов. Пока они спорили, над головой у них поднялся отчаянный шум и грохот.

— Это моя жена, я ее запер наверху, — спокойно пояснил Уилсон. — Пусть посидит там до послезавтра, а послезавтра мы отсюда уедем.

Михаэлис оторопел; они прожили бок о бок четыре года, и он бы никогда не поверил, что Уилсон способен на такое. Это был человек, как говорится, заезженный жизнью; когда не работал в гараже, только и знал, что сидеть на стуле в дверях и смотреть на прохожих, на машины, проносившиеся мимо. Заговорят с ним — он непременно улыбнется в ответ ласковой, бесцветной улыбкой. Он самому себе не был хозяин, над ним была хозяйкой жена.

Михаэлис, понятно, стал допытываться, что такое стряслось, но от Уилсона ничего нельзя было добиться — вместо ответа он вдруг стал бросать на соседа косые, подозрительные взгляды и выспрашивать, где он был и что делал в такой-то день, в такой-то час. Михаэлису даже сделалось не по себе, и, завидя на дороге кучку рабочих, направлявшихся в его ресторан, он под этим предлогом поспешил уйти, сказав, что еще вернется. Но так и не вернулся. Попросту забыл, должно быть. И только выйдя опять, уже в восьмом часу, он услышал в гараже громкий злой голос миссис

Уилсон, и ему сразу вспомнился давешний разговор.

— На, бей! — кричала она. — Бей, топчи ногами, ничтожество, трус поганый!

Дверь распахнулась, она выбежала на дорогу, с криком размахивая руками, — и прежде чем он успел сделать хоть шаг, все было кончено.

«Автомобиль смерти», как его потом называли газеты, даже не остановился; вынырнув из густеющих сумерек, он дрогнул на миг в трагической нерешительности и скрылся за поворотом дороги. Михаэлис и цвета его не успел разглядеть толком — подоспевшей полиции он сказал, что машина была светло-зеленая. Другая машина, которая шла в Нью-Йорк, затормозила, проскочив ярдов на сто, и водитель бегом кинулся назад, туда, где, скорчившись, лежала Миртл Уилсон, внезапно и грубо вырванная из жизни, и ее густая темная кровь смешивалась с дорожной пылью.

Шофер и Михаэлис подбежали к ней первые, но, когда они разорвали еще влажную от пота блузку и увидели, что левая грудь болтается где-то сбоку, точно повисший на ниточке карман, они даже не стали прикладывать ухо к сердцу. Рот был широко раскрыт и в углах чуть надорван, как будто она захлебнулась, отдавая весь тот огромный запас энергии жизни, который так долго в ней копился.

Мы еще издали увидали толпу и машины, сгрудившиеся на дороге.

— Авария! — сказал Том. — Уилсону повезло. Будет ему теперь работа.

Он сбавил газ, но останавливаться не собирался; только когда мы подъехали ближе, хмурое безмолвие толпившихся у гаража людей побудило его затормозить.

— Может, все-таки взглянем, в чем там дело, — сказал он неуверенно. — Только взглянем.

Глухой, прерывистый стон доносился из гаража; когда мы, выйдя из машины, подошли к дверям, стон стал более внятным и в нем можно было расслышать слова: «Боже мой, боже мой!» — без конца повторяемые на одной ноте.

— Что-то, видно, стряслось серьезное, — с интересом сказал Том.

Он привстал на носки и поверх голов заглянул в гараж, освещенный только желтыми лучами лампочки в металлической сетке, подвешенной под самым потолком. Что-то вдруг хрипло булькнуло у него в горле, он с силой наддал своими могучими плечами и протолкался вперед.

Толпа заворчала и сейчас же сомкнулась снова, так что мне ничего не было видно. Но сзади напирало все больше и больше любопытных, и в конце концов нас с Джордан просто вдавили внутрь.

Тело Миртл Уилсон лежало на верстаке у стены, завернутое в два одеяла, как будто ее знобило, несмотря на жару; склонившись над нею, спиной к нам, стоял неподвижно Том. Рядом полицейский в шлеме мотоциклиста, усиленно потея и черкая, записывал фамилии в маленькую книжечку. Откуда-то несся все тот же прерывистый стон, гулко отдаваясь в пустоте гаража; я огляделся и тут только увидел Уилсона — он стоял на высоком пороге своей конторки, обеими руками вцепившись в дверные косяки, и раскачивался из стороны в сторону. Какой-то человек уговаривал его вполголоса, пытаясь положить ему руку на плечо, но Уилсон ничего не видел и не слышал. Он медленно скользил взглядом от лампочки под потолком к тому, что лежало на верстаке, тотчас же снова вскидывал глаза на лампочку; и все время звучал его страшный, пронзительный вопль:

— Боже мой! Боже мой! Боже мой! Боже мой!

Том вдруг рывком поднял голову, оцепенело посмотрел по сторонам и что-то пробормотал, обращаясь к полицейскому.

— М-и... — по буквам говорил полицейский, записывая, — к...

— Нет, х... — поправил его грек. — М-и-х...

— Да слушайте же! — повысил голос Том.

— А... — говорил полицейский. — Э...

— Л...

— Л... — Тут широкая рука Тома тяжело упала ему на плечо, и он оглянулся. — Ну, чего вам надо?

— Как это случилось? Я хочу знать, как это случилось.

— Автомобиль сшиб ее. Задавил насмерть.

— Задавил насмерть, — повторил Том, глядя в одну точку.

— Она выбежала на дорогу. Мерзавец даже не остановился.

— Шли две машины, — сказал Михаэлис. — Одна — оттуда, другая — туда, понятно?

— Куда «туда»? — быстро спросил полицейский.

— Одна — из города, другая — в город. Ну вот, а она... — он было поднял руку в сторону верстака, но сразу же уронил, — она выбежала на дорогу, и та машина, что шла из города, прямо на нее налетела. Еще бы — скорость-то была миль тридцать или сорок, не меньше.

— Как называется это место? — спросил полицейский.

— Никак. У него нет названия.

Рослый, хорошо одетый мулат выступил вперед.

— Машина была желтая, — сказал он. — Большая желтая машина. Совсем новая.

— Вы что, были при этом?

— Нет, но эта машина обогнала меня на шоссе. Она шла со скоростью больше чем сорок. Пятьдесят верных, а то и шестьдесят.

— Подойдите сюда и скажите вашу фамилию. Эй, дайте ему пройти, мне нужно записать его фамилию.

Должно быть, кое-что из этого разговора долетело до Уилсона, по-прежнему раскачивавшегося в дверях конторки, — его стоны стали перемежаться новыми выкриками:

— Я знаю, какая это была машина! Знаю, без вас знаю!

Я увидел, как напряглась под пиджаком спина Тома. Он поспешно подошел к Уилсону и крепко схватил его за плечи.

— Ну-ну, возьмите себя в руки, — грубовато подбодрил он.

Уилсон глянул на Тома и хотел было выпрямиться, но колени у него подогнулись, и он упал бы, если бы не железная хватка Тома.

— Выслушайте меня, — слегка встряхнув его, сказал Том. — Я только сию минуту подъехал. Я вам привел свой старый «форд», как мы уговаривались. Та желтая машина, на которой я проезжал здесь днем, была не моя — слышите? Я только доехал на ней до Нью-Йорка, а больше и в глаза ее не видал.

Том говорил тихо, и никто, кроме меня и мулата, стоявших неподалеку, не мог разобрать его слов, но самый звук его голоса заставил полицейского насторожиться.

— О чем вы там? — строго спросил он.

— Я его приятель. — Том, не отпуская Уилсона, повернул голову к полицейскому. — Он говорит, что знает машину, которая это сделала. Она желтого цвета.

Следуя какому-то неясному побуждению, полицейский подозрительно взглянул на Тома.

— А какого цвета ваша машина?

— Синего. Двухместный «форд».

— Мы только что из Нью-Йорка, — сказал я.

Кто-то, ехавший следом за нами по шоссе, подтвердил это, и полицейский снова занялся Михаэлисом.

— Ну давайте опять сначала, по буквам...

Приподняв Уилсона точно куклу, Том внес его в конторку, усадил в кресло и вернулся к двери.

— Кто-нибудь идите побудьте с ним, — коротко распорядился он.

Двое мужчин, из тех, кто стоял поближе, поглядели друг на друга и неохотно двинулись к конторке. Том пропустил их мимо себя, затворил за ними дверь и отошел, стараясь не смотреть в сторону верстака. Поравнявшись со мной, он шепнул: «Поехали!»

С чувством неловкости мы протолкались сквозь прибывавшую толпу. Том властным напором плеч прокладывал дорогу, и у самого выхода встретился нам спешивший с чемоданом врач, за которым послали полчаса назад, вероятно понадеявшись на чудо.

Сначала Том ехал совсем медленно, но за поворотом шоссе он сразу нажал на педаль, и мы стремглав понеслись в наступившей уже темноте. Немного спустя я услышал короткое, сдавленное рыдание и увидел, что по лицу Тома текут слезы.

— Проклятый трус! — всхлипнул он. — Даже не остановился!

...Дом Бьюкененов неожиданно выплыл нам навстречу из купы темных, шелестящих листвою деревьев. Том затормозил почти напротив крыльца и сразу посмотрел вверх — на увитой виноградом стене светились два окна.

— Дэзи дома, — сказал он. Когда мы выбрались из машины, он взглянул на меня и слегка нахмурился. — Надо было мне завезти тебя в Уэст-Эгг, Ник. Сегодня все равно делать больше нечего.

Какая-то перемена совершилась в нем, он говорил уверенно и с апломбом. Пока мы шли через освещенную луной площадку перед домом, он коротко и энергично распоряжался:

— Сейчас я по телефону вызову тебе такси, а пока вы с Джордан ступайте на кухню, и пусть вам дадут поужинать — если вы голодны. — Он распахнул перед нами дверь. — Входите.

— Спасибо, не хочется. Такси ты мне, пожалуйста, вызови, но я подожду здесь, на воздухе.

Джордан дотронулась до моего локтя.

— Зайдите, Ник, посидим немного.

— Спасибо, не хочется.

Меня подташнивало, и хотелось остаться одному. Но Джордан медлила уходить.

— Еще только половина десятого, — сказала она.

Нет уж, баста — я чувствовал, что сыт по горло их обществом. «Их», к моему собственному удивлению, в данном случае включало и Джордан. Вероятно, это было написано у меня на лице, потому что она вдруг круто повернулась и убежала в дом. Я присел на ступеньку, опустил голову на руки и сидел так несколько минут, пока не услышал в холле голос лакея, вызывавшего по телефону такси. Тогда я поднялся и медленно побрел по аллее, решив дожидаться у ворот.

Я не прошел и двадцати шагов, как меня окликнули по имени, и на аллею, раздвинув боковые кусты, вышел Гэтсби. Должно быть, в голове у меня черт знает что творилось, так как единственное, о чем я в эту минуту подумал, — это что его розовый костюм как будто светился при луне.

— Что вы здесь делаете? — спросил я.

— Ничего, старина. Просто так, стою.

Почему-то мне показалось странным такое занятие. Я был даже готов предположить, что он замышляет ограбить дом. Меня бы не удивило, если бы из глубины кустарника за его спиной выглянули зловещие физиономии «знакомых Вулфшима».

— Вы что-нибудь видели на шоссе? — спросил он после короткого молчания.

— Да.

Он помялся.

— Она — совсем?

— Да.

— Я так и думал, я и Дэзи так сказал. В таких случаях лучше сказать правду. Конечно, это потрясение, но она с ним справилась.

Он говорил так, словно только это и имело значение: как перенесла случившееся Дэзи.

— Я вернулся в Уэст-Эгг кружным путем, — продолжал он, — и оставил машину в своем гараже. По-моему, нас никто не видел, но ведь наверное не скажешь.

Он мне был теперь так неприятен, что я не стал его разуверять.

— Кто была эта женщина? — спросил он.

— Жена владельца гаража, ее фамилия Уилсон. Как это, черт возьми, произошло?

— Понимаете, я не успел перехватить... — Он запнулся, и я вдруг все понял.

— За рулем была Дэзи?

— Да, — не сразу ответил он. — Но я, конечно, буду говорить, что я. Понимаете, Дэзи очень нервничала, когда мы выехали из Нью-Йорка, и думала, что за рулем ей легче будет успокоиться, а эта женщина вдруг бросилась к нам, и как раз другая машина навстречу. Это произошло буквально в одну секунду, но мне показалось, что она хотела нам что-то сказать, может быть, приняла нас за кого-то знакомого. Дэзи сначала крутнула в сторону от нее, но тут эта встречная машина, и она растерялась и крутнула обратно. Хватая руль, я уже почувствовал толчок. Вероятно, ее задавило насмерть.

— Разворотило всю...

Он вздрогнул.

— Не надо, старина... Ну а потом — я просил Дэзи остановиться, но она не могла. Пришлось мне использовать ручной тормоз. Тогда она повалилась мне на колени, и дальше уже повел я.

— К утру она совсем оправится, — продолжал он после короткой паузы. — Но я побуду здесь, на случай, если он вздумает мучить ее из-за того, что вышло в «Плаза». Она заперлась в своей спальне, а если он станет ломиться к ней силой, она мне даст сигнал — включит и выключит свет несколько раз подряд.

— Ничего он ей не сделает, — сказал я. — Ему не до нее.

— Я ему не доверяю, старина.

— Сколько же вы намерены тут простоять?

— Хотя бы и до утра. Во всяком случае, пока все в доме не улягутся.

Мне пришла в голову новая мысль. Что, если Том узнал, что за рулем была Дэзи? Он мог усмотреть тут какую-то связь, мог подумать... мало ли что он мог подумать. Я оглянулся на дом. Два или три окна нижнего этажа были ярко освещены, да наверху теплились мягким розовым светом окна Дэзи.

— Подождите меня здесь, — сказал я. — Пойду послушаю, не слышно ли чего в доме.

Я по краю газона вернулся назад, стараясь не хрустеть гравием, пересек площадку и на цыпочках поднялся на крыльцо. В гостиной занавеси на окнах не были задернуты, и можно было сразу увидеть, что там никого нет. В конце той веранды, где мы обедали в первый мой приезд, три месяца назад, желтел небольшой прямоугольник света — вероятно, окошко буфетной. Туда я и направился. Штора была спущена, но я нашел место, где она чуть-чуть не доставала до подоконника.

Дэзи и Том сидели друг против друга за кухонным столом, на котором стояло блюдо с холодной курицей и две бутылки пива. Он что-то горячо доказывал ей и в пылу убеждения накрыл рукой ее руку, лежавшую на столе. Она время от времени поднимала на него глаза и согласно кивала.

Им было невесело; курица лежала нетронутая, пива в бутылках не убавилось. Но и грустно им не было. Вся сцена носила характер привычной интимности. Казалось, они дружно о чем-то сговариваются.

Спускаясь на цыпочках с крыльца, я услышал фырканье такси, искавшего, должно быть, поворот к дому. Гэтсби ждал на том месте, где я его оставил.

— Ну как, ничего не слышно? — с тревогой спросил он.

— Нет, все тихо. — Я постоял в нерешительности. — Едемте со мной, вам нужно поспать.

Он покачал головой.

— Я подожду, пока Дэзи не погасит свет, — тогда буду знать, что она легла. Спокойной ночи, старина.

Он засунул руки в карманы и поспешил отвернуться, как будто мое присутствие нарушало торжественность его священного бдения. И я пошел, а он остался в полосе лунного света — одинокий страж, которому нечего было сторожить.

Глава VIII

Всю ночь я не мог заснуть; был туман, на проливе беспрестанно гудела сигнальная сирена, и я метался, как в лихорадке, между чудовищной действительностью и тяжелыми кошмарами сновидений. Перед рассветом я услышал, как к вилле Гэтсби подъехало такси; я поспешно спрыгнул с кровати и стал одеваться — мне казалось, я должен сказать ему что-то, о чем-то предупредить, и поскорей, потому что утром уже будет поздно.

Еще издали я увидел, что входная дверь не притворена, а Гэтсби стоит в холле, прислонясь к столу, весь сникший то ли от физической, то ли от внутренней усталости.

— Ничего не было, — сказал он мне тусклым голосом. — Я прождал почти до четырех, а потом она подошла к окну, постояла минутку и погасила свет.

Никогда еще дом Гэтсби не казался мне таким огромным, как в эту ночь, когда мы рыскали по большим пустым комнатам, охотясь за сигаретами. Мы раздвигали драпировки, похожие на полы палаток, мы водили руками по поверхности темных стен в поисках выключателей; раз я наскочил в темноте на открытый рояль, и оттуда брызнул фонтан нестройных звуков. Повсюду пахло затхлостью, как будто комнаты уже очень давно не проветривались, и было совершенно непостижимо, откуда взялось в них столько пыли. Наконец на одном столе обнаружилась сигаретница, и в ней две лежалые, высохшие сигареты. Мы уселись перед окном в большой гостиной, предварительно распахнув его настежь, и закурили, глядя в темноту.

— Вам надо уехать, — сказал я. — Полиция наверняка выследит вашу машину.

— Уехать, старина, сейчас?

— Поезжайте на неделю в Атлантик-Сити или в Монреаль.

Но он об этом и слышать не хотел. Как он может оставить Дэзи, не узнав, что она решила делать дальше? Он еще цеплялся за шальную надежду, и у меня не хватило духу эту надежду отнять.

Вот тогда-то он и рассказал мне странную историю своей юности и своих скитаний с Дэном Коди — рассказал потому, что «Джей Гэтсби» разбился, как стекло, от удара о тяжелую злобу Тома и долголетняя феерия пришла к концу. Вероятно, в тот час он не остановился бы и перед другими признаниями, но ему хотелось говорить о Дэзи, и только о Дэзи.

Она была первой «девушкой из общества» на его пути. То есть ему и прежде при разных обстоятельствах случалось иметь дело с подобными людьми, но всегда он общался с ними будто через невидимое проволочное заграждение. С первого раза она показалась ему головокружительно желанной. Он стал бывать у нее в доме, сначала в компании других офицеров из Кэмп-Тэйлор, потом один. Он был поражен — никогда еще он не видел такого прекрасного дома. Но самым удивительным, дух захватывающим было то, что Дэзи жила в этом доме — жила запросто, все равно как он — в своей лагерной палатке. Все здесь манило готовой раскрыться тайной, заставляло думать о спальнях наверху, красивых и прохладных, непохожих на другие, знакомые ему спальни, о беззаботном веселье, выплескивающемся в длинные коридоры, о любовных интригах — не линялых от времени и пропахших сухою лавандой, но живых, трепетных, неотделимых от блеска автомобилей последнего выпуска и шума балов, после которых еще не увяли цветы. Его волновало и то, что немало мужчин любили Дэзи до него, — это еще повышало ее цену в его глазах. Повсюду он чувствовал их незримое присутствие; казалось, в воздухе дрожат отголоски еще не замерших томлений.

Но он хорошо сознавал, что попал в этот дом только невероятной игрою случая. Какое бы блистательное будущее ни ожидало Джея Гэтсби, пока что он был молодым человеком без прошлого, без гроша в кармане, и военный мундир, служивший ему плащом-невидимкой, в любую минуту мог свалиться с его плеч. И потому он старался не упустить время. Он брал все, что мог взять, хищнически, не раздумывая, — так взял он и Дэзи однажды тихим осенним вечером, взял, хорошо зная, что не имеет права коснуться даже ее руки.

Он мог бы презирать себя за это — ведь, в сущности, он взял ее обманом. Не то чтобы он пускал в ход россказни о своих мнимых миллионах, но он сознательно внушил Дэзи иллюзию твердой почвы под ногами, поддерживая в ней уверенность, что перед ней человек ее круга, вполне способный принять на себя ответственность за ее судьбу. А на самом деле об этом нечего было и думать — он был никто, без роду и племени, и в любую минуту прихоть безликого правительства могла зашвырнуть его на другой конец света.

Но презирать себя ему не пришлось, и все вышло не так, как он ожидал. Вероятно, он рассчитывал взять что можно и уйти — а оказалось, что он обрек себя на вечное служение святыне. Дэзи и раньше казалась ему особенной, необыкновенной, но он не представлял себе, до чего все может быть необыкновенно с «девушкой из общества». Она исчезла в своем богатом доме, в своей богатой, до краев наполненной жизни, а он остался ни с чем — если не считать странного чувства, будто они теперь муж и жена.

Когда через два дня они увиделись снова, не у нее, а у Гэтсби захватило дыхание, не она, а он словно бы попал в ловушку. Веранда ее дома тонула в сиянье самых дорогих звезд; плетеный диванчик томно скрипнул, когда она повернулась к Гэтсби и он поцеловал ее в забавно сложенные нежные губы. Она слегка охрипла от простуды, и это придавало особое очарование ее голосу. С ошеломительной ясностью Гэтсби постигал тайну юности в плену и под охраной богатства, вдыхая свежий запах одежды, которой было так много, — а под ней была Дэзи, вся светлая, как серебро, благополучная и гордая — бесконечно далекая от изнурительной борьбы бедняков.

— Не могу вам передать, старина, как я был изумлен, когда понял, что люблю ее. Первое время я даже надеялся, что она меня бросит, но она не бросила — ведь и она меня полюбила. Ей казалось, что я очень много знаю, потому что знания у меня были другие, чем у нее... Вот так и вышло, что я совсем позабыл свои честолюбивые замыслы, занятый только своей любовью, которая с каждой минутой росла. Но мне теперь было все равно. Стоило ли что-то свершать, чего-то добиваться, когда гораздо приятнее было рассказывать ей о том, что я собираюсь свершить.

В последний вечер перед отъездом в Европу они с Дэзи долго сидели обнявшись и молчали. Погода была холодная, сырая, в комнате топился камин, и щеки у Дэзи разгорелись.

Иногда она шевелилась в его объятиях, и он тогда слегка менял позу, чтобы ей было удобнее. Один раз он поцеловал ее темные, шелковистые волосы. Они притихли с наступлением сумерек, словно для того, чтобы этот вечер лучше запомнился им на всю долгую разлуку, которую несло с собой завтра. За месяц их любви ни разу они не были более близки, не раскрывались полней друг для друга, чем в эти минуты, когда она безмолвными губами касалась сукна мундира на его плече или когда он перебирал ее пальцы так осторожно, словно боялся ее разбудить.

Военная карьера удалась ему. Еще до отправки на фронт он был произведен в капитаны, а после аргоннских боев получил чин майора и стал командовать пулеметным батальоном дивизии. После перемирия он сразу стал рваться домой, но какое-то осложнение или недоразумение загнало его в Оксфорд. На душе у него было тревожно — в письмах Дэзи сквозила нервозность и тоска. Она не понимала, почему он задерживается. Внешний мир наступал на нее со всех сторон; ей нужно было увидеть Гэтсби, почувствовать его рядом, чтобы увериться в том, что она не совершает ошибки.

Ведь Дэзи была молода, а в ее искусственном мире цвели орхидеи и господствовал легкий, приятный снобизм, и оркестры каждый год вводили в моду новые ритмы, отражая в мелодиях всю печаль и двусмысленность жизни. Под стон саксофонов, ночи напролет выпевавших унылые жалобы «Бил-стрит блюза», сотни золотых и серебряных туфелек толкли на паркете сверкающую пыль. Даже в сизый час чаепитий иные гостиные сотрясал непрерывно этот сладкий несильный озноб, и знакомые лица мелькали то здесь, то там, словно лепестки облетевшей розы, гонимые по полу дыханием тоскующих труб.

И с началом сезона Дэзи снова втянуло в круговорот этой сумеречной вселенной. Снова она за день успевала побывать на полудюжине свиданий с полудюжиной молодых людей; снова замертво валилась в постель на рассвете, бросив на пол измятое бальное платье вместе с умирающими орхидеями. Но все время настойчивый внутренний голос требовал от нее решения. Она хотела устроить свою жизнь сейчас, сегодня; и, чтобы решение пришло, нужна была какая-то сила — любви, денег, неоспоримой выгоды, — которую не понадобилось бы искать далеко.

Такая сила нашлась в разгар весны, когда в Луисвилл приехал Том Бьюкенен. У него была внушительная фигура и не менее внушительное положение в обществе, и Дэзи это льстило. Вероятно, все совершилось не без внутренней борьбы, но и не без облегчения.

Письмо Гэтсби получил еще в Оксфорде.

Над Лонг-Айлендом уже брезжило утро. Мы прошли по всем комнатам нижнего этажа, раскрывая окно за окном и впуская серый, но уже золотеющий свет. На росистую землю упала тень дерева, призрачные птицы запели в синей листве. Мягкое дуновение свежести, которое даже не было ветерком, предвещало погожий, нежаркий день.

— Нет, никогда она его не любила. — Гэтсби отвернулся от только что распахнутого окна и посмотрел на меня с вызовом. — Не забывайте, старина, ведь она вчера едва помнила себя от волнения. Он ее просто напугал — изобразил все так, словно я какой-то мелкий жулик. Неудивительно, если она сама не знала, что говорит.

Он сел, мрачно сдвинув брови.

— Может быть, она и любила его какую-то минуту, когда они только что поженились, — но даже тогда меня она любила больше.

Он помолчал и вдруг разразился очень странным замечанием.

— Во всяком случае, — сказал он, — это касалось только ее.

Что тут можно было заключить? Разве только, что в своих отношениях с Дэзи он видел глубину, не поддающуюся измерению.

Он вернулся в Штаты, когда Том и Дэзи еще совершали свое свадебное путешествие, и остатки армейского жалованья потратил на мучительную, но неотразимо желанную поездку в Луисвилл. Там он провел неделю, бродил по тем улицам, где в тишине ноябрьского вечера звучали их дружные шаги, скитался за городом в тех местах, куда они любили ездить на ее белой машине. Как дом, где жила Дэзи, всегда казался ему таинственней и привлекательней всех других домов, так и ее родной город даже сейчас, без нее, был для него полон грустного очарования.

Уезжая, он не мог отделаться от чувства, что, поищи он получше, он бы нашел ее, — что она осталась там, в Луисвилле. В сидячем вагоне — он едва наскреб на билет — было тесно и душно. Он вышел на площадку, присел на откидной стульчик и смотрел, как уплывает назад вокзал и скользят мимо торцы незнакомых построек. Потом открылся простор весенних полей; откуда-то вывернулся и побежал было наперегонки с поездом желтый трамвай, набитый людьми, — быть может, этим людям случалось мельком на улице видеть волшебную бледность ее лица.

Дорога сделала поворот; поезд теперь уходил от солнца, а солнце, клонясь к закату, словно бы простиралось в благословении над полускрывшимся городом, воздухом которого дышала она. В отчаянии он протянул в окно руку, точно хотел захватить пригоршню воздуха, увезти с собой кусочек этого места, освященного ее присутствием. Но поезд уже шел полным ходом, все мелькало и расплывалось перед глазами, и он понял, что этот кусок его жизни, самый прекрасный и благоуханный, утрачен навсегда.

Было уже девять часов, когда мы кончили завтракать и вышли на крыльцо. За ночь погода круто переломилась, и в воздухе веяло осенью. Садовник, единственный, кто остался в доме из прежней прислуги, подошел и остановился у мраморных ступеней.

— Хочу сегодня спустить воду в бассейне, мистер Гэтсби. Того и гляди, начнется листопад, а листья вечно забивают трубы.

— Нет, подождите еще денек, — возразил Гэтсби и, повернувшись ко мне, сказал, как бы оправдываясь: — Верите ли, старина, я так за все лето и не поплавал ни разу в бассейне.

Я взглянул на часы и встал.

— Через двенадцать минут мой поезд.

Мне не хотелось ехать на работу. Я знал, что проку от меня сегодня будет немного, но дело было даже не в этом — мне не хотелось оставлять Гэтсби. Уже и этот поезд ушел, и следующий, а я все медлил.

— Я вам позвоню из города, — сказал я наконец.

— Позвоните, старина.

— Так около двенадцати.

Мы медленно сошли вниз.

— Дэзи, наверно, тоже позвонит. — Он выжидательно посмотрел на меня, словно надеялся услышать подтверждение.

— Наверно.

— Ну, до свидания.

Мы пожали друг другу руки, и я пошел к шоссе. Уже у поворота аллеи я что-то вспомнил и остановился.

— Ничтожество на ничтожестве, вот они кто! — крикнул я, оглянувшись. — Вы один стоите их всех, вместе взятых!

Как я потом радовался, что сказал ему эти слова. Это была единственная похвала, которую ему привелось от меня услышать, — ведь, в сущности, я с первого до последнего дня относился к нему неодобрительно. Он сперва только вежливо кивнул в ответ, потом вдруг просиял и широко, понимающе улыбнулся, как будто речь шла о факте, признанном нами уже давно и к обоюдному удовольствию. Его розовый костюм — дурацкое фатовское тряпье — красочным пятном выделялся на белом мраморе ступеней, и мне припомнился тот вечер, три месяца назад, когда я впервые был гостем в его родовом замке. Сад и аллея кишмя кишели тогда людьми, не знавшими, какой бы ему приписать порок, — а он махал им рукой с этих самых ступеней, скрывая от всех свою непорочную мечту.

И я поблагодарил его за гостеприимство. Его всегда все за это благодарили — я наравне с другими.

— До свидания, Гэтсби! — крикнул я. — Спасибо за отличный завтрак!

Попав наконец в контору, я занялся было вписыванием сегодняшних курсов в какой-то бесконечный реестр ценных бумаг, да так и заснул над ним в своем вертящемся кресле. Около двенадцати меня разбудил телефонный звонок, и я вскочил как встрепанный, весь в поту. Это оказалась Джордан Бейкер; она часто звонила мне в это время, поскольку, вечно кочуя по разным отелям, клубам и виллам знакомых, была для меня почти неуловимой. Обычно звук ее голоса в телефонной трубке нес с собой прохладу и свежесть, как будто в окно конторы влетел вдруг кусок дерна с поля для игры в гольф; но в то утро он мне показался жестким и скрипучим.

— Я уехала от Дэзи, — сказала она. — Сейчас я в Хэмстеде, а днем собираюсь в Саутгемптон.

Вероятно, она поступила тактично, уехав от Дэзи, но во мне это почему-то вызвало раздражение, а следующая ее фраза и вовсе меня заморозила.

— Вы со мной не слишком любезно обошлись вчера вечером.

— До любезностей ли тут было.

Минута молчания. Потом:

— Но я все-таки хотела бы повидать вас.

— Я вас тоже хотел бы повидать.

— Может быть, мне не ехать в Саутге́мптон, а приехать во второй половине дня в город?

— Нет, сегодня не нужно.

— Очень мило.

— Я никак не могу сегодня. Есть всякие...

Мы еще несколько минут тянули этот разговор, потом он как-то разом прекратился. Не помню, кто из нас первый резко повесил трубку, но помню, что меня это даже не расстроило. Не мог бы я в тот день мирно болтать с ней за чашкой чая, даже если бы знал, что рискую никогда больше ее не увидеть.

Немного погодя я позвонил к Гэтсби, но у него было занято. Четыре раза я повторял вызов, и в конце концов потерявшая терпение телефонистка сказала мне, что абонент ждет разговора по заказу из Детройта. Я вынул свое железнодорожное расписание и обвел кружочком цифру 3.50. Потом откинулся назад и попытался сосредоточиться на своих мыслях. Было ровно двенадцать часов.

Когда утром мой поезд приближался к шлаковым кучам, я нарочно пересел на другую сторону. Мне казалось, что там все еще шумит толпа любопытных и мальчишки высматривают темные пятна в пыли, а какой-нибудь словоохотливый старичок снова и снова рассказывает о подробностях происшествия; но с каждым разом его рассказ будет звучать все менее правдоподобно, даже для него самого, и в конце концов он уже не сможет его повторять и трагедия Миртл Уилсон канет в забвение. Но сейчас я хочу немного вернуться назад и рассказать, что происходило в гараже вчера, после того как мы оттуда уехали.

Сестру погибшей, Кэтрин, удалось разыскать не сразу. Должно быть, она в тот вечер изменила своему правилу ничего не пить, потому что, когда ее привезли, голова ее была затуманена винными парами и ей никак не могли втолковать, что санитарный автомобиль уже увез тело во Флашинг. Уразумев это наконец, она тут же хлопнулась в обморок, словно из всего, что случилось, это было самое ужасное. Кто-то по доброте или из любопытства усадил ее в свою машину и повез следом за останками сестры.

Далеко за полночь бурлил у гаража людской прибой — уходили одни, подходили другие, а Джордж Уилсон все сидел на диванчике в конторке и мерно раскачивался из стороны в сторону. Первое время дверь конторки была распахнута настежь, и входившим в гараж трудно было удержаться, чтобы не заглянуть туда. Потом кто-то сказал, что это нехорошо, и дверь затворили. Несколько человек, в том числе Михаэлис, оставались с Уилсоном; сначала их было пятеро или шестеро, потом двое или трое, а под конец Михаэлису пришлось попросить последнего задержаться хоть на четверть часа, пока он, Михаэлис, сходит к себе сварить кофе. После этого он до рассвета просидел с Уилсоном один.

Часа в три в поведении Уилсона наступила перемена — он стал поспокойнее и вместо бессвязного бормотанья заговорил о желтой машине. Твердил, что сумеет узнать, кто хозяин этой машины, а потом вдруг рассказал, что месяца два назад его жена как-то возвратилась из города с распухшим носом и кровоподтеками на лице. Но, услышав собственные слова, он весь передернулся и снова стал качаться и стонать: «Боже мой, боже мой!»

Михаэлис пытался, как умел, отвлечь его мысли:

— Сколько времени вы были женаты, Джордж? Ну полно, посиди минутку спокойно и ответь на мой вопрос. Сколько времени вы были женаты?

— Двенадцать лет.

— А детей у вас никогда не было? Ну посиди же спокойно, Джордж. Ты слышал, о чем я спрашиваю? Были у вас когда-нибудь дети?

В тусклом свете единственной лампочки по полу бегали, сталкиваясь, рыжие тараканы; время от времени слышался шум проносившейся мимо машины, и Михаэлису каждый раз казалось, будто это та самая, что умчалась, не остановившись, несколько часов тому назад. Ему не хотелось выходить в помещение гаража, чтобы не увидеть испятнанный кровью верстак, на котором вчера лежало тело, поэтому он тревожно топтался по конторке — к утру уже все в ней знал наизусть, — а порой, присев рядом с Уилсоном, принимался увещевать его:

— Ты в какую церковь ходишь, Джордж? Может, давно уже не был, так это ничего. Может, я позвоню в твою церковь и попрошу священника прийти поговорить с тобой, а, Джордж?

— Ни в какую я церковь не хожу.

— Нельзя человеку без церкви, Джордж, вот хотя бы на такой случай. И ты ведь, наверно, ходил в церковь прежде. Венчался-то ты в церкви? Да ты слушай, Джордж, слушай меня. Венчался ты в церкви?

— Так то было давно.

Усилия, требовавшиеся для ответа, перебили мерный ритм его качанья, и он ненадолго затих. Потом в его выцветших глазах появилось прежнее выражение — догадка пополам с растерянностью.

— Посмотри, что в том ящике, — сказал он, указывая на свой стол.

— В каком ящике?

— Вон в том.

Михаэлис выдвинул ближайший к нему ящик стола. Там ничего не было, кроме короткого собачьего поводка, кожаного, с серебряным плетеньем. Он был совсем новый и, судя по виду, дорогой.

— Это? — спросил Михаэлис, достав поводок из ящика.

Уилсон так и прилип к нему глазами, потом кивнул.

— Я это нашел у нее вчера днем. Она мне стала что-то объяснять, да я сразу заподозрил неладное.

— Это что же, твоя жена купила?

— Лежало у нее на столике, завернутое в папиросную бумагу.

Михаэлис тут ничего странного не усмотрел и сразу привел Уилсону десяток причин, почему его жене мог понадобиться собачий поводок. Но, должно быть, такие же или сходные объяснения давала и Миртл, потому что Уилсон снова застонал: «Боже мой, боже мой!» — и слова его утешителя повисли в воздухе.

— Вот он и убил ее, — сказал вдруг Уилсон. Нижняя челюсть у него отвалилась, рот так и остался разинутым.

— Кто «он»?

— А уж я сумею узнать.

— Ты сам не знаешь, что говоришь, Джордж, — сказал приятелю грек. — От горя у тебя помутилось в голове. Постарайся успокоиться и отдохни немножко, скоро уже утро.

— Он ее убийца.

— Это был несчастный случай, Джордж.

Уилсон затряс головой. Глаза его сузились, по губам прошла тень междометия, выражающего уверенность.

— Нет уж, — сказал он решительно. — Я человек простой и никому не желаю зла, но что я знаю, то знаю. Это он ехал в машине. Она бросилась к нему, хотела что-то сказать, а он не пожелал остановиться.

Михаэлис был свидетелем происшествия, но ему не пришло в голову искать в нем какой-то особый смысл. Он считал, что миссис Уилсон выбежала на шоссе, спасаясь от мужа, а вовсе не для того, чтобы остановить какую-то определенную машину.

— Да с чего бы это она?

— Ты ее не знаешь, — сказал Уилсон, как будто это было ответом на вопрос. — О-о-о-о!..

Он опять начал раскачиваться и стонать, а Михаэлис стоял над ним, теребя в руках поводок.

— Может, есть у тебя какой-нибудь друг, я бы позвонил, вызвал его сюда, а, Джордж?

Напрасная надежда — да Михаэлис и не сомневался, что никаких друзей у Уилсона нет, ведь его не хватало даже для собственной жены.

Немного спустя Михаэлис с облегчением заметил какую-то перемену в комнате. За окном посинело, и он понял, что утро уже близко. К пяти часам синее стало голубым, и можно было выключить свет.

Уилсон остекленевшим взглядом уставился в окно, где над кучами шлака курились маленькие серые облачка, принимая фантастические очертания по воле предутреннего ветра.

— Я поговорил с ней, — зашептал он после долгого молчания, — сказал ей, что меня она может обмануть, но Господа Бога не обманет. Я подвел ее к окошку. — Он с трудом поднялся и, подойдя к окну, приник к стеклу лбом. — Подвел и говорю: «Господь, он все знает, все твои дела. Меня ты можешь обмануть, но Господа Бога не обманешь».

И тут Михаэлис, став рядом, заметил, куда он смотрит, и вздрогнул — он смотрел прямо в огромные блеклые глаза доктора Т. Дж. Эклберга, только что выплывшие из редеющей мглы.

— Господь, он все видит, — повторил Уилсон.

Михаэлис попробовал его образумить:

— Да это ж реклама!

Но что-то отвлекло его внимание и заставило отойти от окна. А Уилсон еще долго стоял, вглядываясь в сумрак рассвета и тихонько качая головой.

Когда пробило шесть, Михаэлис уже еле держался на ногах и радостно вздохнул, услышав, что у гаража затормозила машина. Это вернулся, как и обещал, один из мужчин, уехавших около полуночи. Михаэлис приготовил завтрак на троих, и они вдвоем его съели. Уилсон тем временем немного успокоился, и Михаэлис пошел домой поспать, а когда он через четыре часа проснулся и побежал в гараж, Уилсона там не было.

Удалось потом проследить его путь: он шел пешком до Порт-Рузвельта, а оттуда — до Гэдсхилла, где он спросил чашку кофе и сандвич; кофе выпил, а сандвича не съел. Вероятно, он устал и шел очень медленно, судя по тому, что попал в Гэдсхилл только в полдень. Восстановить его передвижения до этого момента не представило труда: в одном месте мальчишки видали, как по дороге шел человек «вроде бы не в себе», в другом — шоферы обратили внимание на странного прохожего, диким взглядом провожавшего каждую машину. Но дальше след его терялся на целых три часа. Полиция, основываясь на словах, сказанных им Михаэлису насчет того, что он «сумеет узнать», сделала предположение, что он в это время обходил окрестные гаражи в поисках желтой машины. Но, с другой стороны, ни один владелец гаража о нем не заявил, и, возможно, у него нашелся какой-то другой, более верный и простой способ узнать, что нужно. В половине третьего его видели в Уэст-Эгге, где он спрашивал дорогу к вилле Гэтсби. Следовательно, фамилия Гэтсби уже была ему тогда известна.

В два часа Гэтсби надел купальный костюм и отдал распоряжение лакею: если кто-нибудь позвонит, прийти к бассейну и доложить об этом. Он зашел в гараж, где шофер помог ему накачать надувной матрас, которым все лето развлекались его многочисленные гости. И он строго-настрого запретил выводить из гаража открытую машину — что было странно, так как переднее правое крыло нуждалось в ремонте.

Вскинув матрас на плечо, Гэтсби направился к бассейну. Один раз он, остановившись, поправил ношу; шофер спросил, не нужно ли помочь, но он помотал головой и через минуту исчез за желтеющими деревьями.

Никто так и не позвонил, но лакей, жертвуя дневным сном, прождал до четырех часов — когда уже все равно некому было докладывать о звонке. Мне почему-то кажется, что Гэтсби и сам не верил в этот звонок и, может быть, не придавал уже этому значения.

Если так, то, наверно, он чувствовал, что старый уютный мир навсегда для него потерян, что он дорогой ценой заплатил за слишком долгую верность единственной мечте. Наверно, подняв глаза, он встречал незнакомое небо, просвечивающее сквозь грозную листву, и, содрогаясь, дивился тому, как нелепо устроена роза и как резок свет солнца на кое-как сотворенной траве. То был новый мир, вещественный, но не реальный, и жалкие призраки, дышащие мечтами, бесцельно скитались в нем... как та шлаково-серая фантастическая фигура, что медленно надвигалась из-за бесформенных деревьев.

Шофер — один из протеже Вулфшима — слышал выстрелы, но потом мог сказать лишь одно — что не обратил на них внимания. Я с вокзала поехал прямо на виллу Гэтсби, и взволнованная поспешность, с которой я взбежал на крыльцо, послужила первым сигналом к тревоге.

Но они уже знали, я в этом убежден. Почти не сговариваясь, мы четверо — шофер, лакей, садовник и я — бросились к бассейну.

Лишь легкое, чуть заметное колыхание на поверхности позволяло угадывать ток воды, что вливалась в бассейн с одного конца и уходила с другого. И, покачиваясь на этих игрушечных волнах, медленно плыл надувной матрас с грузом. Малейший ветерок, едва рябивший воду, отклонял этот случайный груз от его случайного направления. Порой на пути попадалась кучка опавших листьев, и, столкнувшись с нею, матрас начинал кружиться на одном месте, точно ножкою циркуля прочерчивая в воде тоненький алый круг.

Уже когда мы несли Гэтсби к дому, в стороне от дорожки садовник заметил в траве тело Уилсона — последнюю искупительную жертву.

Глава IX

Сейчас, когда миновало уже два года, остаток этого дня, и ночь, и следующий день мне вспоминаются только как беспрестанное коловращение полицейских, фотографов и репортеров на вилле Гэтсби. Поперек ворот протянули веревку и поставили полицейского, чтобы не пропускать любопытных. Но ребятня очень скоро пронюхала, что можно пробраться в сад со стороны моего участка, и около бассейна все время вертелись стайки ротозеев-мальчишек. Какой-то уверенно державшийся мужчина, возможно детектив, склонясь над телом Уилсона, произнес слово «сумасшедший»; апломб, с которым было брошено это замечание, стал камертоном для отчетов, появившихся в утренних газетах.

Эти отчеты были как ночные кошмары — фантастичны, навязчивы, обстоятельны в мелочах и далеки от действительности. Когда Михаэлис на следствии рассказал о ревнивых подозрениях Уилсона, я решил, что теперь вся история неминуемо будет преподнесена публике в скабрезно-пасквильном виде, однако Кэтрин, которой тут было что сказать, не сказала ни слова. Она проявила неожиданную силу характера — в упор глядя на следователя из-под своих выправленных бровей, клялась, что этого Гэтсби ее сестра знать не знала, что с мужем ее сестра всегда жила душа в душу и что вообще за ее сестрой никаких грехов не водилось. Она даже себя самое в этом убедила и так рыдала, уткнувшись в платок, как будто и тень сомнения на этот счет оскорбляла ее чувства. И Уилсон был низведен на уровень «невменяемости от горя», с тем чтобы по возможности упростить все дело. Так на том и осталось.

Впрочем, мне все это представлялось далеким и несущественным. Вышло так, что у Гэтсби не оказалось в наличии близких, кроме меня. С той минуты, как я позвонил в поселок Уэст-Эгг и сообщил о несчастье, любые догадки, любые практические вопросы, требовавшие решения, — все адресовалось мне. Сначала меня это удивляло и смущало, но время шло, и оттого, что Гэтсби лежал там, в своем доме, не двигался, не дышал и не говорил, во мне постепенно росло чувство ответственности, ведь больше никто не интересовался им, я хочу сказать — не испытывал того пристального, личного интереса, на который каждый из нас имеет какое-то право под конец.

Я позвонил Дэзи через полчаса после того, как его нашли, сделал это по непосредственному побуждению, не раздумывая. Но оказалось, что они с Томом уехали еще утром, взяв с собою багаж.

— И не оставили адреса?

— Нет.

— Не говорили, когда вернутся?

— Нет.

— А вы не знаете, где они? Как с ними связаться?

— Не знаю. Не могу сказать.

Мне хотелось найти ему кого-нибудь. Хотелось войти в комнату, где он лежал, и пообещать ему: «Уж я вам найду кого-нибудь, Гэтсби. Будьте спокойны. Положитесь на меня, я вам кого-нибудь найду».

Имя Мейера Вулфшима в телефонной книге не значилось. От мрачного лакея я узнал адрес его конторы в Нью-Йорке и позвонил в справочную, но, когда мне дали номер, был уже шестой час, и к телефону никто не подходил.

— Пожалуйста, позвоните еще раз.

— Я уже три раза звонила.

— У меня очень важное дело.

— Сожалею, но там, видимо, никого нет.

Я вернулся в гостиную и увидел, что в ней полно народу — я даже принял было их за случайных гостей, всех этих представителей власти. Но хотя они откинули простыню и долго смотрели на Гэтсби испуганными глазами, в мозгу у меня не переставало настойчиво биться:

«Послушайте, старина, вы мне должны найти кого-нибудь. Вы должны приложить все силы. Не могу я пройти через это совсем один».

Меня стали спрашивать о чем-то, но я убежал и, поднявшись наверх, принялся торопливо рыться в незапертых ящиках его письменного стола — он мне никогда не говорил определенно, что его родители умерли. Но нигде ничего не было — только со стены смотрел портрет Дэна Коди, свидетель давно забытых бурь.

На следующее утро я послал мрачного лакея в Нью-Йорк к Вулфшиму с письмом, в котором спрашивал о родственниках Гэтсби и просил приехать ближайшим поездом. Впрочем, последняя просьба мне самому показалась излишней. Я не сомневался, что он и так бросится на вокзал, едва прочитает газеты, — как не сомневался и в том, что от Дэзи еще утром будет телеграмма. Но ни телеграмма, ни мистер Вулфшим не прибыли; прибывали только все новые полицейские, фотографы и репортеры. Когда я прочитал привезенный лакеем ответ Вулфшима, во мне поднялось чувство гнева, смешанного с отвращением, и в этом чувстве мы с Гэтсби были заодно против них всех.

«Дорогой мистер Каррауэй! Это для меня один из самых тяжелых ударов за всю мою жизнь, я просто не могу поверить, что это правда. Безумный поступок этого человека должен всех нас заставить призадуматься. Я не могу приехать в данное время, так как занят чрезвычайно важным делом и мне никак нельзя впутываться в такую историю. Если смогу быть чем-либо полезен потом, уведомьте меня письмом через Эдгара. Меня подобные вещи совершенно выбивают из колеи, я потрясен и не могу прийти в себя.

Искренне Ваш

Мейер Вулфшим».

И внизу торопливая приписка:

«Прошу уведомить, как с похоронами и т. д., о родственниках ничего не знаю».

Когда в холле под вечер зазвонил телефон и междугородная сказала: «Вызывает Чикаго», я был уверен, что это наконец Дэзи. Но в трубке послышался мужской голос, глухой и плохо слышный издалека:

— Это говорит Слэгл...

— Вас слушают. — Фамилия мне была незнакома.

— Хорошенькая история, а? Вы мою телеграмму получили?

— Никаких телеграмм не было.

— Молодой Паркер влип, — сказал голос скороговоркой. — Его сцапали, когда он передавал бумаги в окошечко. Из Нью-Йорка поступило сообщение с указанием номеров и серий, буквально за пять минут до того. Что вы на это скажете, а? В такой дыре никогда не знаешь, на что нарвешься...

Задыхаясь, я прервал его:

— Алло! Послушайте — вы не с мистером Гэтсби говорите. Мистер Гэтсби умер.

На другом конце провода долго молчали. Потом послышалось короткое восклицание, потом в трубке щелкнуло, и нас разъединили.

Кажется, на третий день пришла телеграмма из какого-то городка в Миннесоте, подписанная: Генри Ч. Гетц. В телеграмме говорилось, что податель немедленно выезжает и просит дождаться его с похоронами.

Это был отец Гэтсби, скорбного вида старичок, беспомощный и растерянный, увернутый, несмотря на теплый сентябрьский день, в дешевое долгополое пальто с поясом. От волнения глаза у него непрерывно слезились, а как только я взял из его рук саквояж и зонтик, он стал дергать себя за реденькую седую бороду, так что мне с трудом удалось снять с него пальто. Видя, что он еле держится на ногах, я повел его в музыкальный салон, усадил там и, вызвав лакея, сказал, чтобы ему принесли поесть. Но есть он не стал, а молоко расплескалось из стакана — так у него дрожала рука.

— Я прочел в чикагской газете, — сказал он. — В чикагской газете было написано. Я сразу же выехал.

— У меня не было вашего адреса.

Его невидящий взгляд все время перебегал с предмета на предмет.

— Это сделал сумасшедший, — сказал он. — Конечно же, сумасшедший.

— Может быть, вы хоть кофе выпьете? — настаивал я.

— Нет, я ничего не хочу. Мне уже лучше, мистер...

— Каррауэй.

— Мне уже лучше, вы не беспокойтесь. Где он, Джимми?

Я проводил его в гостиную, где лежал его сын, и оставил там.

Несколько мальчишек забрались на крыльцо и заглядывали в холл; я им объяснил, кто приехал, и они неохотно пошли прочь.

Немного погодя дверь гостиной отворилась и мистер Гетц вышел; рот у него был открыт, лицо слегка побагровело, из глаз катились редкие, неупорядоченные слезы. Он был в том возрасте, в котором смерть уже не кажется чудовищной неожиданностью, и, когда он, впервые оглядевшись вокруг, увидел величественную высоту сводов холла и анфилады пышных покоев, открывавшиеся в обе стороны, к его горю стало примешиваться чувство благоговейной гордости. Я отвел его наверх, в одну из комнат для гостей, и, пока он снимал пиджак и жилет, объяснил ему, что все распоряжения были приостановлены до его приезда.

— Я не знал, каковы будут ваши пожелания, мистер Гэтсби...

— Моя фамилия Гетц.

— ...мистер Гетц. Я думал, может быть, вы захотите увезти тело на Запад.

Он замотал головой.

— Джимми всегда больше нравилось здесь, на Востоке. Ведь это здесь он достиг своего положения. Вы были другом моего мальчика, мистер?..

— Мы с ним были самыми близкими друзьями.

— Он бы далеко пошел, можете мне поверить. Он был еще молод, но вот здесь у него было хоть отбавляй.

Он внушительно постучал себя по лбу, и я кивнул в знак согласия.

— Поживи он еще, он бы стал ба-а-льшим человеком. Таким, как Джеймс Дж. Хилл. Он бы ба-а-льшую пользу принес стране.

— Вероятно, — сказал я, замявшись.

Он неловко стащил с постели расшитое покрывало, лег, вытянулся и мгновенно уснул.

Вечером позвонил какой-то явно перепуганный субъект, который, прежде чем назвать себя, пожелал узнать, кто с ним говорит.

— Говорит мистер Каррауэй.

— А-а! — радостно отозвался он. — А я — Клипспрингер.

Я тоже обрадовался — можно было, значит, рассчитывать, что за гробом Гэтсби пойдет еще один старый знакомый. Не желая давать извещение в газеты, чтобы не привлечь толпу любопытных, я решил лично сообщить кое-кому по телефону. Но почти ни до кого не удалось дозвониться.

— Похороны завтра, — сказал я. — Нужно быть на вилле к трем часам. И будьте так любезны, скажите всем, кто захотел бы приехать.

— Да-да, непременно, — поспешно ответил он. — Я вряд ли кого-нибудь увижу, но если случайно...

Его тон заставил меня насторожиться.

— Вы сами, разумеется, будете?

— Постараюсь, непременно постараюсь. Я, собственно, позвонил, чтобы...

— Минутку, — перебил я. — Мне бы хотелось услышать от вас точно: вы будете?

— Мм... видите ли — дело в том, что я теперь живу у одних знакомых в Гриниче и завтра они на меня в некотором роде рассчитывают. Предполагается что-то вроде пикника или прогулки. Но я, конечно, приложу все старания, чтобы освободиться.

У меня невольно вырвалось: «Эх!» — и он, должно быть, услышал, потому что сразу заторопился:

— Я, собственно, позвонил вот зачем: я там оставил пару туфель, так не затруднит ли вас распорядиться, чтобы мне их прислали. Понимаете, это теннисные туфли, и я без них прямо как без рук. Пусть пошлют на адрес...

На чей адрес, я уже не слыхал — я повесил трубку.

А немного спустя мне пришлось постыдиться за Гэтсби — один из тех, кому я звонил, выразился в том смысле, что, мол, туда ему и дорога. Впрочем, я сам был виноват: этот господин принадлежал к числу самых заядлых любителей позубоскалить насчет Гэтсби, угощаясь его вином, и нечего было звонить такому.

Наутро в день похорон я сам поехал в Нью-Йорк к Мейеру Вулфшиму, не видя другого способа с ним связаться. Лифт остановился против двери, на которой значилось: «Акц. о-во „Свастика“»; по совету лифтера я толкнул дверь — она была незаперта, и я вошел. Сперва мне показалось, что в помещении нет ни души, и только после нескольких моих окликов за перегородкой заспорили два голоса, и минуту спустя из внутренней двери вышла хорошенькая еврейка и недружелюбно уставилась на меня большими черными глазами.

— Никого нет, — сказала она. — Мистер Вулфшим уехал в Чикаго.

Первое из этих утверждений явно не соответствовало действительности, так как за перегородкой кто-то стал фальшиво насвистывать «Розовый куст».

— Будьте добры сказать мистеру Вулфшиму, что его хочет видеть мистер Каррауэй.

— Как же это я ему скажу, если он в Чикаго?

В эту минуту из-за двери позвали: «Стелла!» — и я сразу узнал голос Вулфшима.

— Оставьте на столике вашу карточку, — поспешно сказала женщина. — Он вернется, я ему передам.

— Послушайте, я же знаю, что он здесь.

Она шагнула вперед, негодующе подбоченясь.

— Повадились тоже врываться сюда когда вздумается, — заговорила она сердито. — Покою нет от вашего брата. Раз я говорю: он в Чикаго, значит, он в Чикаго.

Я назвал имя Гэтсби.

— О-о! — Она снова на меня посмотрела. — Тогда погодите минутку. Как, вы сказали, ваша фамилия?

Она исчезла. Мгновение спустя Мейер Вулфшим стоял на пороге, скорбным жестом протягивая ко мне руки. Он увлек меня в свой кабинет, сказал почтительно приглушенным голосом, что сегодня печальный день для всех нас, и предложил мне сигару.

— Помню, каким он был, когда мы с ним встретились впервые, — заговорил он, усевшись. — Молодой майор, только что из армии, весь в медалях, полученных на фронте. И ни гроша в кармане — он все еще ходил в военной форме, так как ему не на что было купить штатский костюм. Первый раз я его увидал в бильярдной Уайнбреннера на Сорок третьей улице, куда он зашел попросить какой-нибудь работы. Он уже несколько дней буквально голодал. Я его пригласил позавтракать со мной, так, поверите ли, — он за полчаса наел на четыре доллара с лишним.

— И вы помогли ему стать на ноги? — спросил я.

— Помог? Я его человеком сделал!

— Хм...

— Я его вытащил из грязи, из ничтожества. Вижу: молодой человек, красивый, обходительный, а когда он еще мне сказал, что учился в Оксворте, я сразу сообразил, что от него может быть прок. Заставил его вступить в Американский легион, он там быстро выдвинулся. А тут и дело для него нашлось, у одного моего клиента в Олбани. Мы с ним были как два пальца на одной руке. — Вулфшим поднял два толстых пальца. — Где один, там и другой.

Интересно, подумал я, действовало ли это содружество во время истории с «Уорлд сириз» в 1919 году?

— А теперь он умер, — сказал я. — И вы, как его ближайший друг, приедете сегодня на похороны.

— Да, я бы очень хотел приехать, — сказал он.

— Вот и приезжайте.

Волосы у него в ноздрях зашевелились, на глазах выступили слезы, и он покачал головой.

— Не могу, мне в такие истории лучше не впутываться, — сказал он.

— А никакой истории и нет. Теперь все уже кончено.

— Если человек умирает не своей смертью, я всегда стараюсь не впутываться. Держусь в стороне. Вот был я помоложе — тогда другое дело: уж если у меня умирал друг, все равно как, я его не покидал до конца. Можете считать меня сентиментальным, но так уж оно было: до самого конца.

Мне стало ясно, что по каким-то причинам он твердо решил на похороны не ездить, и я встал.

— Вы окончили университет? — ни с того ни с сего спросил он.

Я было подумал, что сейчас речь пойдет о «кхонтактах», но он только кивнул и с чувством пожал мне руку.

— Важно быть человеку другом, пока он жив, а не тогда, когда он уже умер, — заметил он. — Мертвому это все ни к чему — лично я так считаю.

Когда я вышел от Вулфшима, небо было обложено тучами, и в Уэст-Эгг я вернулся под накрапывающим дождем. Наскоро переодевшись, я пошел на виллу. В холле мистер Гетц взволнованно расхаживал из угла в угол. Он все больше и больше гордился сыном и сыновним богатством и, как видно, ждал меня, чтобы мне что-то показать.

— Эту карточку Джимми мне прислал. — Он дрожащими пальцами вытащил бумажник. — Вот, посмотрите.

Это была фотография виллы, замусоленная и истертая по краям. Старик возбужденно тыкал в нее пальцем, указывая то на одну, то на другую подробность: «Вот, посмотрите!» И каждый раз оглядывался на меня, ожидая восхищения. Он так привык показывать всем эту фотографию, что, вероятно, она для него была реальнее самой виллы.

— Это мне Джимми прислал. По-моему, очень хорошая карточка. На ней все так красиво.

— Да, очень красиво. А вы давно виделись с ним?

— Он ко мне приезжал два года назад и купил мне дом, в котором я теперь живу. Оно конечно, нам нелегко пришлось, когда он сбежал из семьи, но я теперь вижу, что он был прав. Он знал, что его ожидает большое будущее. А уж как он вышел в люди, так ничего для меня не жалел.

Ему явно не хотелось расставаться с фотографией, и он медлил, держа ее у меня перед глазами. Наконец он убрал ее в бумажник и взамен вытащил из кармана старую, растрепанную книжонку, озаглавленную: «Прыгскок, Кэссиди».

— Вот, смотрите, это сохранилось с тех пор, как он был еще мальчишкой. Оно о многом говорит.

Он раскрыл книжку с конца и повернул так, чтобы мне было видно. На последнем, чистом листе было выведено печатными буквами:

«РАСПИСАНИЕ», и рядом число: «12 сентября 1906 года». Под этим стояло:

Подъем	6.00 утра
Упражнения с гантелями и перелезание через стену	6.15 — 6.30
Изучение электричества и пр.	7.15 — 8.15
Работа	8.30 — 16.30
Бейсбол и спорт	16.30 — 17.00
Упражнения в красноречии и выработка осанки	17.00 — 18.00
Обдумывание нужных изобретений	19.00 — 21.00

ОБЩИЕ РЕШЕНИЯ

Не тратить время на Шефтерса и *(имя неразборчиво)*.

Бросить курить и жевать резинку.

Через день принимать ванну.

Каждую неделю прочитывать одну книгу или журнал для общего развития.

Каждую неделю откладывать 5 дол. *(зачеркнуто)* 3 дол.

Лучше относиться к родителям.

— Мне это попалось на глаза случайно, — сказал старик. — Но это о многом говорит, верно?

— Да, о многом.

— Он бы далеко пошел, Джимми. Бывало, как уж решит что-нибудь, так не отступит. Вы обратили внимание, как у него там написано — для общего развития. Это у него всегда была особая забота. Он мне раз сказал, что я ем, как свинья, я его еще отодрал тогда за уши.

Ему не хотелось закрывать книгу, он вслух перечитывал одну запись за другой и каждый раз пытливо оглядывался на меня. Подозреваю, он ждал, что я захочу списать эти записи себе для руководства.

Без четверти три явился лютеранский священник из Флашинга, и я невольно начал поглядывать в окно — не подъезжают ли другие автомобили. Смотрел в окно и отец Гэтсби. А когда время подошло к трем и в холле уже собрались в ожидании слуги, старик беспокойно заморгал глазами и стал бормотать что-то насчет дождливой погоды. Я заметил, что священник косится на часы, и, отведя его в сторонку, попросил подождать еще полчаса. Но это не помогло. Никто так и не приехал.

Около пяти часов наш кортеж из трех машин добрался до кладбища и остановился под дождем у ворот — впереди катафалк, отвратительно черный и мокрый, за ним лимузин, в котором ехали мистер Гетц, священник и я, и, наконец, многоместный открытый «форд» Гэтсби со слугами и уэст-эггским почтальоном, промокшими до костей. Когда мы уже вошли на кладбище, я услышал, как у ворот остановилась еще машина и кто-то заспешил нам вдогонку, шлепая второпях по лужам. Я оглянулся. Это был тот похожий на филина человек в очках, которого я однажды, три месяца тому назад, застиг изумленно созерцающим книжные полки в библиотеке Гэтсби.

Ни разу с тех пор я его не встречал. Не знаю, как ему стало известно о похоронах, даже фамилии его не знаю. Струйки дождя стекали по его толстым очкам, и он снял и протер их, чтобы увидеть, как над могилой Гэтсби растягивают защитный брезент.

Я старался в эту минуту думать о Гэтсби, но он был уже слишком далек, и я только вспомнил, без всякого возмущения, что Дэзи так и не прислала ни телеграммы, ни хотя бы цветов. Кто-то за моей спиной произнес вполголоса: «Блаженны мертвые, на которых падает дождь», — и Филин бодро откликнулся: «Аминь».

Мы в беспорядке потянулись к машинам, дождь подгонял нас. У самых ворот Филин заговорил со мной:

— Мне не удалось поспеть к выносу.

— Никому, видно, не удалось.

— Вы шутите! — Он чуть ли не подскочил. — Господи боже мой! Да ведь у него бывали сотни людей!

Он опять снял очки и тщательно протер их с одной стороны и с другой.

— Эх, бедняга! — сказал он.

Одно из самых ярких воспоминаний моей жизни — это поездки домой на рождественские каникулы, сперва из школы, поздней из университета. Декабрьским вечером все мы, кому ехать было дальше Чикаго, собирались на старом, полутемном вокзале Юнион-стрит; забегали наспех проститься с нами и наши друзья-чикагцы, уже закружившиеся в праздничной кутерьме. Помню меховые шубки девочек из пансиона мисс Такой-то или Такой-то, пар от дыхания вокруг смеющихся лиц, руки, радостно машущие завиденным издали старым знакомым, разговоры о том, кто куда приглашен («Ты будешь у Ордуэев? У Херси? У Шульцев?»), длинные зеленые проездные билеты, зажатые в кулаке. А на рельсах, против выхода на платформу, — желтые вагоны линии Чикаго—Милуоки—Сент-Пол, веселые, как само Рождество.

И когда, бывало, поезд тронется в зимнюю ночь, и потянутся за окном настоящие, наши, снега, и мимо поплывут тусклые фонари висконсинских полустанков, — воздух вдруг становился совсем другой, хрусткий, ядреный. Мы жадно вдыхали его в холодных тамбурах на пути из вагона-ресторана, остро чувствуя, что кругом все родное, — но так длилось всего какой-нибудь час, а потом мы попросту растворялись в этом родном, привычно и нерушимо.

Вот это и есть для меня Средний Запад — не луга, не пшеница, не тихие городки, населенные шведами, а те поезда, что мчали меня домой в дни юности, и сани с колокольцами в морозных сумерках, и уличные фонари, и тени гирлянд остролиста на снегу, в прямоугольниках света, падающего из окон. И часть всего этого — я сам, немножко меланхоличный от привычки к долгой зиме, немножко самонадеянный, оттого что рос я в каррауэевском доме, в городе, где и сейчас называют дома по имени владельцев. Я вижу теперь, что, в сущности, у меня получилась повесть о Западе: ведь и Том, и Гэтсби, и Дэзи, и Джордан, и я — все мы с Запада, и, быть может, всем нам одинаково недоставало чего-то, без чего трудно освоиться на Востоке.

Даже и тогда, когда Восток особенно привлекал меня, когда я особенно ясно отдавал себе отчет в его превосходстве над жиреющими от скуки, раскоряченными городишками за рекой Огайо, где досужие языки никому не дают пощады, кроме разве младенцев и дряхлых стариков, — даже и тогда мне в нем чудилось какое-то уродство. Уэст-Эгг я до сих пор часто вижу во сне. Это скорей не сон, а фантастическое видение, напоминающее ночные пейзажи Эль Греко: сотни домов банальной и в то же время причудливой архитектуры, сгорбившихся под хмурым, низко нависшим небом, в котором плывет тусклая луна; а на переднем плане четверо мрачных мужчин во фраках несут носилки, на которых лежит женщина в белом вечернем платье. Она пьяна, ее рука свесилась с носилок, на пальцах холодным огнем сверкают бриллианты. В сосредоточенном безмолвии мужчины сворачивают к дому — это не тот, что им нужен. Но никто не знает имени женщины, и никто не стремится узнать.

После смерти Гэтсби я не мог отделаться от подобных видений; все вокруг представлялось мне в уродливо искаженных формах, которые глаз не в силах был корригировать. И когда закурились синеватые струйки дыма над кучами сухих, ломких листьев и белье на веревках стало дубенеть на ветру, я решил уехать домой, на Запад.

Оставалось только выполнить одно дело, неприятное, тягостное дело, за которое лучше было, пожалуй, и не браться. Но мне хотелось привести все в порядок перед отъездом, а не полагаться на то, что равнодушное море услужливо смоет оставленный мною мусор. Я встретился с Джордан Бейкер и завел разговор о том, что мы с ней пережили вместе, и о том, что мне после пришлось пережить одному. Она слушала молча, полулежа в большом, глубоком кресле.

На ней был костюм для игры в гольф, и, помню, она показалась мне похожей на картинку из спортивного журнала — задорно приподнятый подбородок, волосы цвета осенней листвы, загар на лице того же кофейного оттенка, что спортивные перчатки, лежавшие у нее на коленях. Когда я кончил, она без всяких предисловий объявила, что выходит замуж. Я не очень поверил, хотя и знал, что, кивни она только головой, за женихами дело не станет, но притворился удивленным. На мгновение у меня мелькнула мысль: может быть, я делаю ошибку? Но я быстро переворошил в памяти все с самого начала и встал, чтобы проститься.

— А все-таки это вы мне дали отставку, — неожиданно сказала Джордан. — Вы мне дали отставку по телефону. Теперь мне уже наплевать, но тогда я даже растерялась немного — для меня это внове.

Мы пожали друг другу руки.

— Да, между прочим, — сказала она. — Помните, у нас однажды был разговор насчет автомобильной езды?

— Вспоминаю, но не очень ясно.

— Вы тогда сказали, что неумелый водитель до тех пор в безопасности, пока ему не попадется навстречу другой неумелый водитель. Ну так вот, именно это со мной и случилось. Сама не знаю, как я могла так ошибиться. Мне казалось, вы человек прямой и честный. Мне казалось, в этом ваша тайная гордость.

— Мне тридцать лет, — сказал я. — Я пять лет как вышел из того возраста, когда можно лгать себе и называть это честностью.

Она не ответила. Злой, наполовину влюбленный и терзаемый сожалением, я повернулся и вышел.

Как-то раз, в конце октября, я увидел на Пятой авеню Тома Бьюкенена. Он шел впереди меня своей быстрой, напористой походкой, слегка отставив руки, словно в готовности отшвырнуть любую помеху, и вертя головой по сторонам. Я замедлил шаг, чтобы не нагнать его, но он в это время остановился и, наморщив лоб, стал рассматривать витрину ювелирного магазина. Вдруг он заметил меня и поспешил мне навстречу, еще издали протягивая руку.

— В чем дело, Ник? Ты что, не хочешь со мной здороваться?

— Не хочу. Ты знаешь, что́ я о тебе думаю.

— Ты с ума сошел, Ник! — воскликнул он. — Ты просто спятил. Я понятия не имею, о чем ты говоришь.

— Том, — спросил я в упор, — что ты в тот день сказал Уилсону?

Он молча уставился на меня, и я понял, что моя догадка насчет тех трех невыясненных часов была правильна. Я повернулся и хотел уйти, но он шагнул вперед и схватил меня за плечо.

— Я сказал только правду! Он пришел, когда мы собирались в дорогу, и я передал через лакея, что у меня нет времени для разговоров. Тогда он стал силой рваться наверх. Он был в таком состоянии, что пристрелил бы меня на месте, не скажи я ему, чья была машина. У него был заряженный револьвер в кармане.

Он вдруг вызывающе повысил голос:

— А что тут такого, если я и сказал ему? Тот тип все равно добром бы не кончил. Он вам пускал пыль в глаза, и тебе, и Дэзи, а на самом деле это был просто бандит. Переехал бедную Миртл, как собачонку, и даже не остановился.

Мне нечего было возразить, поскольку я не мог привести тот простой довод, что это неправда.

— А мне, думаешь, не было тяжело? Да когда я пошел отказываться от квартиры и увидел на буфете эту дурацкую жестянку с собачьими галетами, я сел и заплакал, как малое дитя. Черт дери, даже вспомнить жутко...

Я не мог ни простить ему, ни посочувствовать, но я понял, что в его глазах то, что он сделал, оправдано вполне. Не знаю, чего тут было больше — беспечности или недомыслия. Они были беспечными существами, Том и Дэзи, они ломали вещи и людей, а потом убегали и прятались за свои деньги, свою всепоглощающую беспечность или еще что-то, на чем держался их союз, предоставляя другим убирать за ними.

На прощанье я пожал ему руку: мне вдруг показалось глупым упорствовать, у меня было такое чувство, будто я имею дело с ребенком. И он отправился в ювелирный магазин покупать жемчужное колье — а быть может, всего лишь пару запонок, — избавившись навсегда от моей докучливой щепетильности провинциала.

Вилла Гэтсби еще пустовала, когда я уезжал; трава на газонах разрослась так же беспорядочно, как и у меня на участке. Один из местных шоферов такси, проезжая мимо ворот, всякий раз тормозил на минуту и указывал пассажирам видневшийся в глубине сада дом; может быть, тот самый шофер вез Дэзи и Гэтсби в Ист-Эгг в ночь, когда случилось несчастье, и, может быть, он потом сочинил целый рассказ по этому поводу. Мне не хотелось выслушивать этот рассказ, и, выйдя с вокзала, я всегда обходил его машину стороной.

По субботам я нарочно задерживался попозже в Нью-Йорке; в моей памяти были настолько живы великолепные празднества на вилле Гэтсби, что мне без конца слышались смутные отголоски музыки и смеха из соседнего сада и шум подъезжающих и отъезжающих машин. Один раз я действительно услыхал, как по аллее проехала машина, и даже увидел лучи фар, неподвижно застывшие у самого дома. Вероятно, это был какой-нибудь запоздалый гость, который долгое время пропадал в чужих краях и не знал, что праздник уже окончен. Я не стал выяснять.

Накануне отъезда — мои вещи были уже уложены и мой «додж» уведен купившим его бакалейщиком — я пошел взглянуть последний раз на эту огромную нелепую хоромину. Какой-то мальчишка нацарапал обломком кирпича непристойное слово на белых ступенях, и оно четко выделялось при свете луны. Я затер его, шаркая подошвой о камень. Потом я спустился к берегу и прилег на песке.

Почти все богатые виллы вдоль пролива уже опустели, и нигде не видно было огней, только по воде неярким пятном света скользил плывущий паром. И по мере того как луна поднималась выше, стирая очертания ненужных построек, я прозревал древний остров, возникший некогда перед взором голландских моряков, — нетронутое зеленое лоно нового мира. Шелест его деревьев, тех, что потом исчезли, уступив место дому Гэтсби, был некогда музыкой последней и величайшей человеческой мечты; должно быть, на один короткий, очарованный миг человек затаил дыхание перед новым континентом, невольно поддавшись красоте зрелища, которого он не понимал и не искал, — ведь история в последний раз поставила его лицом к лицу с чем-то, соизмеримым заложенной в нем способности к восхищению.

И среди невеселых мыслей о судьбе старого неведомого мира я подумал о Гэтсби, о том, с каким восхищением он впервые различил зеленый огонек на причале, там, где жила Дэзи. Долог был путь, приведший его к этим бархатистым газонам, и ему, наверно, казалось, что теперь, когда его мечта так близко, стоит протянуть руку — и он поймает ее. Он не знал, что она навсегда осталась позади, где-то в темных далях за этим городом, там, где под ночным небом раскинулись неоглядные земли Америки.

Гэтсби верил в зеленый огонек, свет неимоверного будущего счастья, которое отодвигается с каждым годом. Пусть оно ускользнуло сегодня, не беда — завтра мы побежим еще быстрее, еще дальше станем протягивать руки... И в одно прекрасное утро...

Так мы и пытаемся плыть вперед, борясь с течением, а оно все сносит и сносит наши суденышки обратно в прошлое.

Оглавление

Фицджеральд Ф. С.

Ф 66 Великий Гэтсби: Роман / Пер. с англ. Е. Калашниковой. — СПб.: Азбука, Азбука-Аттикус, 2013. — 256 с. — (Азбука-бестселлер).

ISBN 978-5-389-05861-3

«Великий Гэтсби» — вершина не только в творчестве Ф. С. Фицджеральда, но и одно из высших достижений в мировой прозе XX века. Хотя действие романа происходит в «бурные» двадцатые годы прошлого столетия, когда состояния делались буквально из ничего и вчерашние преступники в одночасье становились миллионерами, книга эта живет вне времени, ибо, повествуя о сломанных судьбах поколения «века джаза», давно стала универсальным символом бессмысленности погони человека за ложной целью.

УДК 821.111(73)
ББК 84(7Сое)-44

Литературно-художественное издание

ФРЭНСИС СКОТТ ФИЦДЖЕРАЛЬД

ВЕЛИКИЙ ГЭТСБИ

Ответственный редактор Александр Етоев
Художественный редактор Илья Кучма
Технический редактор Татьяна Раткевич
Корректоры Валерий Камендо, Татьяна Бородулина
Верстка Ольги Варламовой

Подписано в печать 11.03.2013.
Формат издания 84 × 100 $^{1}/_{32}$. Печать офсетная.
Гарнитура «NewStandard». Тираж 7000 экз.
Усл. печ. л. 12,48. Заказ №0012/13.

ООО «Издательская Группа „Азбука-Аттикус“» —
обладатель товарного знака АЗБУКА®
119991, г. Москва, 5-й Донской проезд, д. 15, стр. 4

Филиал ООО «Издательская Группа „Азбука-Аттикус“»
в Санкт-Петербурге
196105, г. Санкт-Петербург, ул. Решетникова, д. 15

ЧП «Издательство „Махаон-Украина“»
04073, г. Киев, Московский пр., д. 6 (2-й этаж)

Отпечатано в соответствии с предоставленными материалами
в ООО «ИПК Парето-Принт», г. Тверь,
www.pareto-print.ru

Эрик-Эммануэль Шмитт
ЖЕНЩИНА В ЗЕРКАЛЕ

«Три судьбы вечно женственного в новом романе Шмитта „Женщина в зеркале“. Что это — феминистский роман? В действительности талант автора невозможно замкнуть в рамки столь узкого определения. Этот объемный роман одновременно и философско-психологическая сказка, и исторический роман, и современная киноистория. Каждая из трех героинь... поразительно созвучна нашему времени».

Блез де Шабалье. Le Figaro Littéraire

Эрик-Эммануэль Шмитт — мировая знаменитость, это едва ли не самый читаемый и играемый на сцене французский автор. Впервые на русском языке новый роман автора «Женщина в зеркале».

В удивительном сюжете сплетаются три истории из трех различных эпох. Брюгге XVII века. Вена начала XX века. Лос-Анджелес, наши дни.
Анна, Ханна, Энни — все три потрясающе красивы, и у каждой особое призвание, которое еще предстоит осознать. Призвание, которое может стоить жизни.

Издательская Группа «Азбука-Аттикус»

В состав Издательской Группы «Азбука-Аттикус» входят известнейшие российские издательства: «Азбука», «Махаон», «Иностранка», «КоЛибри». Наши книги — это русская и зарубежная классика, современная отечественная и переводная художественная литература, детективы, фэнтези, фантастика, non-fiction, художественные и развивающие книги для детей, иллюстрированные энциклопедии по всем отраслям знаний, историко-биографические издания. Узнать подробнее о наших сериях и новинках вы можете на сайте Издательской Группы «Азбука-Аттикус»

http://www.atticus-group.ru/

Здесь же вы можете прочесть отрывки из новых книг, узнать о различных мероприятиях и акциях, а также заказать наши книги через интернет-магазины.

ПО ВОПРОСАМ ПРИОБРЕТЕНИЯ КНИГ ОБРАЩАЙТЕСЬ

В Москве:

ООО «Издательская Группа
„Азбука-Аттикус“»
Тел.: (495) 933-76-00,
факс: (495) 933-76-19
E-mail: sales@atticus-group.ru
info@azbooka-m.ru

В Санкт-Петербурге:

Филиал ООО «Издательская Группа
„Азбука-Аттикус“» в г. Санкт-Петербурге
Тел.: (812) 324-61-49, 388-94-38,
327-04-56, 321-66-58, факс: (812) 321-66-60
E-mail: trade@azbooka.spb.ru
atticus@azbooka.spb.ru

В Киеве:

ЧП «Издательство „Махаон-Украина“»
Тел./факс: (044) 490-99-01
E-mail: sale@machaon.kiev.ua

Издательская Группа «Азбука-Аттикус»

В состав Издательской Группы «Азбука-Аттикус» входят известнейшие российские издательства: «Азбука», «Махаон», «Иностранка», «КоЛибри». Наши книги — это русская и зарубежная классика, современная отечественная и переводная художественная литература, детективы, фэнтези, фантастика, non-fiction, художественные и развивающие книги для детей, иллюстрированные энциклопедии по всем отраслям знаний, историко-биографические издания. Узнать подробнее о наших сериях и новинках вы можете на сайте Издательской Группы «Азбука-Аттикус»

http://www.atticus-group.ru/

Здесь же вы можете прочесть отрывки из новых книг, узнать о различных мероприятиях и акциях, а также заказать наши книги через интернет-магазины.